Joachim l

Tage der A
TSCHERN(

Joachim Berke

Tage der Angst

TSCHERNOBYL

116 Seiten

Bibliografische Information der

Deutschen Nationalbibliothek

Die Deutsche Nationalbibliothek verzeichnet diese Publikation in der Deutschen Nationalbibliografie; detaillierte bibliografische Daten sind im Internet über http://dnb.d-nb.de abrufbar

Herstellung und Verlag:

BoD - Books on Demand, Norderstedt

Covergestaltung: Foto Gisela

Satz und Layout: Foto Gisela

Neue, verbesserte und erweiterte Auflage

2016

ISBN: 9783839186206

INHALT

Vorwort

Vor fast 25 Jahre nach dem Unglück von Tschernobyl erinnern vorliegende Aufzeichnungen an die grauenvolle Angst dieser Tage und an unsere menschliche Ohnmacht in Verbindung mit unglaublicher politischer Ignoranz. Sicherlich sind diese täglichen Notizen, spontan aufgeschrieben in der Zeit des Unheils, aus individueller Sicht entstanden, doch vermitteln sie die ungeheure Belastung der Menschheit, die durch atomare Technik verursacht wird.

Diese Veröffentlichung will nicht nur erinnern, sondern auch mahnen und aufrütteln. Inzwischen wächst eine neue Generation heran, 1986 und später Geborene, die von Tschernobyl nichts wissen. Vielleicht gelingt es, auf die Risiken der nuklearen Bedrohung aufmerksam zu machen und letztlich auch darauf hinzuweisen, dass unser atomarer Abfall noch viele tausend Jahre unsere Nachkommen gefährden wird.

Joachim Berke — Lingen, im Jahr 2010

1. Mai 1986, Donnerstag

Es ist ein schöner Tag, die Natur explodiert, Spring Time; in diesem Jahr später als üblich, vor fünfzehn, zwanzig Tagen sollte der Frühling gekommen sein. Der Winter war lang und streng. Eiszeitliche Landschaft glitzerte unter kalt-blauem Himmel. Wochenlang standen die Wiesen und Felder unter Wasser. Wind wehte stetig aus Ost, nur selten aus West.

Die letzte Kremlmeldung lautet:
Die Anlage in Tschernobyl ist abgeschaltet.

Über die rote Leitung hatten Gorby und Ronny vorher Kontakt. Moskau via Washington, weiter nach Hawaii, dort fand Gorby dann den Ronny.

Blödsinnige Aussage *es ist abgeschaltet*, da gab es nichts mehr abzuschalten, da war schon alles in der Luft - einfach explodiert! Strahlende Teilchen elementarer Bauteile schossen durch die Atmosphäre, Brandruß und Asche rieselten auf die gequälte Erde. In Deutschland, genauer gesagt in der Bundesrepublik, strahlte es ebenso wie in anderen, rings um die Union der Sozialistischen Sowjetrepubliken liegenden Ländern. Auf Norderney siebzehnmal soviel wie üblich, in Lingen, im Emsland, achtundvierzigmal mehr und in Regensburg überstieg der Wert das Hundertfache. Die Informationen fließen langsam, spärlich und ungenau. Da wird von REM und Bec-

querel gesprochen, von Curie und Röntgen, alles ist unverständlich, was aus dem Radio, aus dem Fernseher oder aus der Zeitung kommt.
Die Spitzen der Politik sind auf dem Weg nach Tokio, Weltwirtschaftsgipfel, nur der Mann der CSU, Herr Zimmermann, bleibt daheim, er ist eben der Verantwortliche für das Innere. Sein stereotypes *keine Gefahr* klingt nicht überzeugend. Hier ist nicht nur er überfordert. In uns kriecht Angst hoch. Welcher Teil der Apokalypse trifft jetzt zu?

Gorbatschow der Gezeichnete - steht sein Feuermal für die Rettung der Menschheit oder ist dieses Zeichen das Mal eines Vollstreckers?

GAU, das ist Größter Atomarer Unfall, was ist Super-GAU? Warum dieses Wortgebilde? Warum? Größer als Größter geht doch nicht! Weiter kriecht die Angst. Im Radio meldet der Sprecher immer wieder: *Keine Gefahr.*

Tag der Arbeit, 1. Mai, Sonne, saftige Landschaft, Blüten; die Birken tragen einen Hauch Grün. Gruppen von Menschen, auch einzelne, zu Fuß, mit dem Fahrrad, viele mit dem Auto, ziehen durch den Frühling. Gute Stimmung erreicht die Jugend von 14 bis 20 Jahre mit viel Alkohol, die Zeit der Wandervögel ist längst vorbei. Im Gebiet um Tschernobyl werden die letzten Menschen abtransportiert. Im Freien, nahe dem Kraftwerk, verwesen strahlende Tote. Opfer des leichtsinnigen

Größenwahns menschlicher Technik.

Der Wetterbericht kündet Wind aus Ost und steigende Temperaturen. In Polen bekommen die Babys Jod statt Milch.

2. Mai 1986, Freitag

Heute arbeiten nur wenige Menschen, denn viele haben zwischen dem Feiertag und dem Wochenende frei. Brückentag!

Nördlich von Stockholm, in Schweden, im Atomkraftwerk Forsmark, hatte man es zuerst gemessen. Damals, am 28. April 1986, am frühen Morgen um sieben Uhr. Dort vermuteten sie ein Problem im eigenen Werk, doch draußen, im Freien, strahlte es mehr als im Reaktorgebäude. Daraufhin wurden in Schweden, Dänemark und Norwegen die stationären Messstellen, die zur Überwachung der Radioaktivität an vielen Orten stehen, abgelesen. Es war üblich, nur einmal pro Woche die anfallenden Daten zu prüfen. Alle Werte lagen über Normal, viele von ihnen waren mehrfach überhöht.
Schweigen im Kreml.
Vier radioaktive Einheiten pro Sekunde wurden in Forsmark bei normalem Betrieb gemessen, damals, am 28. April, tickerten die Zähler mehr als hundert Einheiten in die Stille der frühen Stunde.
Die Gefahr kam von Süd-Ost. Schwedische Physiker und Meteorologen vermuteten die Strahlungsquelle im Großraum von Kiew.
1.250 Kilometer entfernt.
Minister Zimmermann tönt:
Keine Gefahr, Kiew liegt zweitausend Kilometer entfernt!

Schon am Freitag, am 26. April, begann das Desaster. Tschernobyl, ein neuer Name in den Medien, ein Ort, rund 100 Kilometer nördlich von Kiew in der Ukraine. Dort arbeitet ein Atomkraftwerkkomplex, vier Meiler liefern das begehrte Plutonium und auch Strom.

Ihre Technik:
Druckröhren-Reaktor-RBMK-1.000, Leistung Megawatt 1.000
Sieben Meter hoch, 11.800 mm Durchmesser
Graphitblock
Graphit ist reiner Kohlenstoff, dessen Siedepunkt bei 3.850 Grad Celsius liegt. Er wird als Moderator in Kernreaktoren wegen seines hohen Bremsvermögens für schnelle Neutronen eingesetzt. Die Graphitblöcke des Typs Tschernobyl werden von 1.693 Arbeitskanälen durchzogen, in denen in Druckröhren die Uran-Brennelemente eingelassen sind.

Bis heute hat der Kreml nur folgende Meldung verbreitet:
Ein Unglück, es kam zu einer Katastrophe, zwei Tote, 197 Verletzte, ein gewisses Entweichen radioaktiver Substanzen.
Ein Störfall?

Die Russen bitten die Bundesrepublik und die Vereinigten Staaten von Nordamerika um Hilfe. Ein Experte oder ein Witzbold empfiehlt hunderttausende von Tonnen Wasser aus der Luft abzuwerfen.

Vorgestern, am Mittwoch, endlich, begann in Bonn eine Strahlenschutzkommission zu tagen. Am Abend, um sieben, wedelte Zimmermann mit seiner rechten Hand in den Nachrichten über eine Karte von Deutschland, er hat alles im Griff.

Es ist sehr heiß, der Wind weht in kräftigen, kurzen Böen aus Ost, manchmal auch aus Süd.

3. Mai 1986, Samstag

Es ist der erste Samstag im Monat, der so genannte Verkaufsoffene. Die Geschäfte haben länger geöffnet.

Bonn: Sofortmaßnahmen wegen strahlenbelasteter Milch, sinkende Werte in der Luft, keine akute Gefahr. Das Bundesministerium für Gesundheit verfügt Importbeschränkungen für Produkte aus der Sowjetunion, Polen, Rumänien, Ungarn, Bulgarien und der Tschechoslowakei.

Die Angst wächst. Ein Grüner sagt: *Überall ist Tschernobyl.*

Bonn, 2. Mai (dpa/AP)
Das Auswärtige Amt hat am Freitagabend vor Reisen nach Rumänien gewarnt, weil dort wegen des Anstiegs der Radioaktivität Alarmzustand ausgelöst worden ist. Die Bevölkerung sei gleichzeitig von den Medien vor dem Genuss von Brunnenwasser, Frischgemüse und Milch gewarnt und aufgefordert worden, vorläufig in den Häusern zu bleiben. Weitere Anweisungen von Radio und Fernsehen sind abzuwarten.

Inzwischen werden an den Grenzübergängen von Ost nach West in der Bundesrepublik alle Fahrzeuge auf Strahlenbelastung geprüft. Verseuchte Fahrzeuge aus westlichen Ländern werden entsorgt. Die aus dem Osten kommen, mit bekannten Zulassungskennzeichen der Länder des Warschauer Paktes, werden zurückgewiesen. Strahlend rollen sie heimwärts in den real existierenden Sozialismus. Einfach so, Empfänger verweigert die Annahme. Flimmernd spritzen Männer in Wohnzimmern auf Bildschirmen in Deutschland Wasser über, unter und an Autos. Die Saubermacher tragen Gasmasken und Schutzanzüge. Sie gleichen den Ärzten der Pestepemidien auf mittelalterlichen Darstellungen. Apokalyptische Bilder, die Reiter Pest, Krieg, Hungersnot und Tod.

Eine Strahlungswolke erreicht die Schweiz. In Kärnten und Ostbayern steigen die Werte schnell. Über Nordwestdeutschland ist die Radioaktivität abgezogen, über das Meer, hinüber nach England. Nach ihrem Verschwinden wurde sogar der Bevölkerung bekannt, daß eine starke Strahlung vorhanden war. Doch auf Norderney steigen die Werte, in Wiesbaden tickert es heftig aus den Geiger-Müller-Zählern. In Mainz, auf der anderen Seite des Rheines, hat man nichts festgestellt. Vor allem aus Reaktorstandorten werden nun stark steigende Werte veröffentlicht. Es entsteht der Eindruck, daß Messungen nur an wenigen, örtlichen Stellen erfolgen.

Irgendwo kauft ein Mann im Supermarkt 100 Liter Milch in Pappverpackung; irgendwo eine Frau Kondensmilch für die nächsten 1.000 Tage. Kinder spielen im Sand ohne Schutz. Babys bekommen knallrote Gesichter von der strahlenden Welt. Der Himmel umblaut die weiße Sonne. Die Bäume schlagen aus. Das Grün explodiert in seinem Wachstum.

Das Kernkraftwerk Lingen meldet deutlich erhöhte Jod-131-Werte bis zu 35 Becquerel. In dieser Stadt, an der Ems, erfährt ein Arzt, daß er seit vielen Jahren der behördlich Beauftragte für Strahlenschutz ist.

Auf dem Airport von Colombo, Sri Lanka, zerreißt eine Bombe eine Tristar. 21 Tote, 41 Verletzte. Mein Nachbar fährt gegen eine rollende Lok, er überlebt. In Regensburg brummt ein junger Bursche im schnellen Auto unter einen LKW. Er stirbt, vorher saß er fünf Stunden in der Kneipe.

Gewitter entlassen Fluten von Wasser aus schweren Wolken über Norddeutschland, es wird etwas kühler. Greifswald und Hamm-Üntrup, Ohu und Stade und alle anderen liefern Strom für Geld. Uns geht es gut, wir haben Licht und Wärme, und die Tiefkühltruhe schnurrt sich die Kälte rein.

4. Mai 1986, Sonntag

Kinder dürfen nicht mehr im Sandkasten spielen, sie sollen abgewaschen werden, die Kleinen. In Kiew werden die Fenster geschlossen. Fernsehen, Rundfunk und Zeitungen melden in Deutschland radioaktive Werte in Becquerel-Einheiten. Wo fängt die Gefahr an? Wann endet die Angst? Alle sind überfragt, zwei bis zehn Becquerel soll die natürliche Strahlung immer betragen. Es wird vermutet, daß diese Naturbelastung für ein Prozent aller Missbildungen beim Menschen verantwortlich ist. Vierzig Milliarden Becquerel sollen bisher in Tschernobyl in die Luft geflogen sein.

Messwerte geistern durch die Zeitungen. Täglicher Wetterbericht für strahlende Luft und verseuchte Erde.
Berlin 3,1 - Aachen 62,1 - Offenbach 20,5 - Freiburg 78,3 - München 33,7, und Herr Strauß hält an Wackersdorf weiter fest. Regensburg 92,3 - Stuttgart 66,2 und weiter quillt es strahlend aus dem Meiler von Tschernobyl. Im Kreis Ludwigsburg wird Schafsmilch beschlagnahmt, 1.062 Becquerel, das ist etwas viel.

Jod ist ausverkauft, doch in einigen Krankenhäusern können Verseuchte noch mit Tabletten behandelt werden. Ein leichtes Ansteigen der Selbstmordfälle wird registriert.

Von Gorby sieht und hört man nichts.

Das freigesetzte, radioaktive Jod hat eine kurze Halbwertzeit, es ist ja bald wieder weg. Doch wie viele Jahre bleiben uns Cäsium, Strontium, Plutonium und Neptunium erhalten? Sind alle Höllenhunde losgelassen? Was geistert durch die Luft? Pest, Cholera, Typhus sind besiegt, vielleicht, doch zusätzlich haben wir Krebs und Aids und noch so einiges zu bieten.

Die deutschen Reaktoren sind sicher!

Herr Kohl ist aus Tokio zurück. Ein Ausstieg aus der Kernkraft kommt für uns nicht in Frage. Basta! Und dabei bleibt es.

Mit gepanzerten und ferngesteuerten Fahrzeugen kommt man an den *harmlosen* Störort heran. Zum Löschen des Höllenbrandes eignen sich Stickstoff, Kohlendioxid, Blei und Sand. Irgendeiner wollte doch mit Wasser spielen.

GAU, jetzt kennt sich inzwischen jeder aus, denn G steht für Größter und A für anzunehmender und das U ist einfach, denn das heißt nur Unfall. Der Begriff Restrisiko beginnt, sehr selbstständig, durch die Presse zu wandern. Das Wissen der Allgemeinheit wird sprunghaft erweitert, so wie damals, ohne Schwierigkeiten der Wortschatz anschwoll:
Nebelwerfer, Stalinorgel, Raketen, V-1 und V-2, Atombombe, Wasserstoffbombe, Neutronenbombe und das große ABC-Atom/Bakterie/Chemie.

Damals, als Panzerfaust, MG und Stalinorgel Schlagworte waren, lag Tschernobyl noch im Sumpf, dort in der Gegend von Kiew und Gomel. Minister Zimmermann hingegen war weder damals noch heute dort, denn:
Wir sehen keine Gefährdung der deutschen Bevölkerung. Wir sind 2.000 Kilometer vom Unfallort entfernt.
Ende des Zitats vom 29. April

Immerhin gibt es jetzt über ein eingerichtetes Telefon Auskunft. Immerhin, piep, piep, piep, das ist es dann auch schon. Tag und Nacht ist diese Auskunft besetzt, sie piept rund um die Uhr, es ist die piepende Warteschleife des Innenministers. Sie hat den gleichen Ton, wie das amtliche Freizeichen, piep, piep, piep.

Lieb Vaterland magst ruhig sein, die Politik, die ist nicht fein.

5. Mai 1986, Montag

Es ist die 19. Woche im 1986. Jahr des Herrn.
Die Bischöfe, die Kardinäle und der Papst schweigen.

Der Sprecher der Tagesschau beginnt die 20-Uhr-Nachrichten mit dem Satz:
Am achten Tag nach Tschernobyl ...
Eine neue Zeitrechnung?

Ein amerikanischer Mediziner düst nach Moskau, es ist ein Spezialist für Knochenmark-Transplantationen. Der russische Botschafter bat um Hilfe.

Bei den Amerikanern versagte wieder eine Rakete, *Delta* war ihr Name. Die Russen indessen, schippern lustig von Raumstation zu Raumstation. Die Amis haben vor Jahren die Spezialisten aus Germany nach Hause gejagt.

Wir hier, in Deutschland, werden jeden Abend durch das Fernsehen fürsorglich betreut. Schlaue Professoren versuchen das Volk zu bilden; RAD und REM, Röntgen und Curie, Becquerel und Alpha-Beta-Gamma-Strahlung. Es quirlt einfach alles durcheinander, Wirrwarr der Sprache wie in Babylon. Ein Menetekel, geheimnisvolles Zeichen drohender Gefahr.
Es regnet wieder. Die Belastung der Luft sinkt auf natürliche

Werte. Im Gras, im Wasser, auf der Straße, in den Stadien, am Strand und im Meer fängt es allerdings immer heftiger zu Tickern an.

Und siehe, der Mensch erhebt sich über Gott, er stellt Gebote auf:
- Du sollst keinen Salat essen und keine Milch trinken, damit du länger leben kannst!
- Du sollst das Wildschwein leben lassen und keine Tiere töten, denn ihr Fleisch wird dich verstrahlen!
- Du sollst nicht im Regen laufen und die Schuhe kräftig abbürsten, damit die Strahlung vor deiner Tür bleibe!
- Du sollst den frischen Kohl meiden und nur Getrocknetes und Tiefgefrorenes aus der Zeit vor Tschernobyl verzehren, damit es dir wohl bekomme!
- Du sollst die Politiker meiden, denn siehe, es werden falsche Propheten auferstehen!
- Du sollst dich immer gut waschen, damit das Jod und das Cäsium und alles Unreine von dir abfalle!
- Du sollst keine frische Luft atmen, schließ die Fenster, denn du sollst wissen, daß Schwefel, Feuer und Tod in der Luft des Himmels verborgen sind!
- Du sollst keine Kinder machen, denn sie müssten unter Glas und Kunststoff wachsen! Du weißt, daß die Wissenschaft Qualitäts-Kinder in den Laborfabriken schneller und besser herstellen kann.
- Du sollst der Sicherheit der Kernkraft trauen, denn sie kühlt

dir dein Essen in der Truhe und dein Bier im Kühlschrank.
- Du sollst die Gebote freudig befolgen, damit es dir wohl ergehe auf Erden und damit du einst, strahlend in deine Atome zerfällst!

(Irgendwo wurde ein Kind mit zwei Köpfen geboren, es wird schwierig, sein Leben zu erhalten.)

Viele Frauen sind verstört, sie lassen abtreiben, warum hat Emma zu oft geschwiegen?

Herr Brandt will Ausstieg aus der Atomenergie, warum denn, auf einmal?

Keine Gefahr, aber:
Alpha, Beta, Gamma, Rad und Rem, Curie und Röntgen, Becquerel und dann der Ausdruck *atomare Verseuchung*.

6. Mai 1986, Dienstag

Der Wind weht weiter aus Süd-Süd-Ost. Erst Schwüle, dann Gewitter, es beginnt heftig zu regnen. Die Luftwerte sinken, die Erde wird angereichert, bei Grohnde hat man 10.800 Einheiten Becquerel gemessen.

Bonn, 5. Mai (Ap/dpa/Reuter)
Einig waren sich die Behörden in der Empfehlung, daß Kinder nicht weiter in Sandkästen und auf Wiesen spielen sollten. In München und Hessen blieben Freibäder, öffentliche Liegewiesen, Sportanlagen und auch Kindergärten geschlossen. In Hamburg stellte der Schulsenator es den Eltern frei, ihre Kinder nicht zur Schule zu schicken.

Moskau, 5. Mai (AP/dpa/Reuter)
Die sowjetische Regierung hat am Montag erstmals eingeräumt, daß durch das Reaktorunglück vom 26. April in Tschernobyl in der Ukraine nicht nur der bisher angeführte Gefahrenbereich im Umkreis von 30 Kilometer radioaktiv verseucht ist. Außerdem wurde bekannt gegeben, daß an dem Unglücksreaktor eine Entseuchungsaktion begonnen habe.

Das sowjetische Fernsehen zeigt am Sonntagabend erstmals Luftaufnahmen von dem zerstörten Reaktor Nummer 4 in Tschernobyl und der dortigen Umgebung.
Tschernobyl, das heißt: *schwarzes Gras* - nomen est omen?

Ungefähr 100 Kilometer nördlich von Kiew, südöstlich von Gomel gelegen, wird der geographische Standort der Kernkraftanlagen mit dem 30. Längengrad Ost und dem 51. Breitengrad Nord angegeben. Auf diesem Breitengrad liegen Köln und Gummersbach, Herleshausen, hier wird er vom Todesstreifen, der die DDR von der BRD trennt, durchschnitten; Eisenach, Gotha, Erfurt, Weimar, (was hätte nur der Geheimrat Johann Wolfgang von Goethe zu solch einem atomaren Desaster gesagt?), Altenburg und Dresden und dann eben auch Tschernobyl. Nach Moskau ist es auch nicht weit.

Gorbatschow hatte im März versprochen, *immer und unter allen Umständen die Wahrheit bekannt zu geben*, doch bis jetzt, schweigt er!

In Stuttgart, Freiburg, München und Regensburg steigen die radioaktiven Luftwerte wieder an. Die Bürger der Bundesrepublik sind total verunsichert. Die Auskunftstelefone sind inzwischen besetzt, doch sie sind total überlastet. Mütter sorgen sich um ihre Kinder. Eine Frau will im Radio wissen, ob ihr Kater gebadet werden muß. Wir waschen unserem Hund die Pfoten, er war über die Wiese gelaufen. Im westlichen Teil des heutigen Polen beobachtete man ein seltsames, sehr intensives Morgenrot. Auf dem Brennerpass, im Niemandsland zwischen Österreich und Italien, steht ein Viehwaggon, beladen mit Rindern und Pferden. Bestimmt für

Italien, Schlachtware aus Galizien. Die Tiere verrecken, verhungern, verdursten. Die Angst vor den tödlichen Strahlen aus Tschernobyl verhindert den Transport und die Versorgung der Tiere. Auch in Sizilien wird frisches Gemüse und Salat zum Verzehr nicht freigegeben. Die Bio-Freaks steigen auf Babynahrung um. Die Müsligeneration ist stark verunsichert. Die letzten Ziegen und Schafe, die Kälber, Rinder und Kühe, auch die Pferde, werden von den Weiden geholt.

7. Mai 1986, Mittwoch

Aus der UDSSR treffen nur wenige Nachrichten ein. Reisende, die aus dem Osten kommen, aus den Ländern hinter dem eisernen Vorhang, werden bei der Einreise auf Verstrahlung untersucht. Das Fernsehen zeigt Bilder von Personen, die in irgendwelche Stahlkammern geschoben werden. Auf den Flugplätzen tasten Beamte mit Geiger-Müller-Zählern Babys auf den Köpfen umher. Die Erwachsenen machen betretene und zweifelnde Gesichter. Einerseits tönen aus allen Kanälen beruhigende Nachrichten, andererseits setzen die Hessen den Becquerelwert pro Liter Milch auf 20 Einheiten fest. Inzwischen steigt die Nervosität bei amtlichen Stellen des Bundes und der Länder immer stärker. Die Menschen sind überfordert. Die Wissenschaftler widersprechen sich heftiger denn je. Sie argumentieren nach der jeweiligen Couleur. Ganz schlimm wird es, wenn Vertreter der Energieunternehmen zu Wort kommen.

Wir Deutschen haben den höchsten Sicherheitsstandard der Welt!
Also, das Eine will ich Ihnen mal sagen, wir haben die Atomkerne eingebunkert, bei uns ist alles sicher, wir machen doch keinen Pfusch! Passiert wirklich mal was, dann bleibt das alles schön in der Betonhülle drin! Deshalb kann bei uns so etwas nicht passieren!
Das Gleiche dachten die Russen auch. Deren Reaktoren wur-

den über Jahre hinweg von Experten zu den sicheren Typen gezählt. Jetzt haben die Russen ihr Gesicht verloren. Erst lassen sie einen Atommeiler in die Luft fliegen und dann sagen sie noch nicht einmal Bescheid. Dort, in der Ukraine haben sie gepennt. Angeblich in Moskau nicht angerufen. Andere wissen aber, daß man sehr früh Nachricht gegeben habe. Offensichtlich will der Kreml den Leuten vor Ort die Schuld geben, doch die Ukrainer schieben alles auf die Russen. Kommentatoren sprechen davon, daß sich die beiden Völker noch nie mochten. Sicherlich ist es viel einfacher, hier ist eben der Mensch überfordert. Die Techniker in Tschernobyl, die Politiker in Kiew, die oberste Spitze in Moskau und auch Herr Gorbatschow. Trotzdem muß man warnen. Aber es sah am Anfang doch so harmlos aus. Das Höllenfeuer begann ohne eine Atomexplosion. Reisende sahen zwar eine dunkle, pilzförmige Wolke über dem weiten Land nördlich von Kiew, die ihnen bedrohlich schien. Doch überall auf der Welt gibt es Dank der menschlichen Technik solche Wolken. Da brennt in Neapel ein Tanklager aus, irgendwo in Deutschland fliegt ein halbes Chemiewerk in die Luft und in Indien strömen giftige Dämpfe aus und töten Tausende. Überforderung des Menschen!

Jetzt redet eine ganze Hierarchie von regierenden Politikern Blödsinn. Sie stürzen die Bürger in Wechselbäder von Angst und Hoffnung. So löst man Panik aus. Die Weitergabe von Informationen und die Qualität der Nachrichten ist auf allen Ebenen der politischen Mandatsträger miserabel. Die Exekutive erhält keinerlei fundierte Weisungen. Das Notwendige wird weder einheitlich veranlasst noch überhaupt getan. In den Städten und Kreisen, in den Ländern und in der ganzen Bundesrepublik herrscht informatives Desaster.

Der Mensch ist überfordert. Sowohl der Einzelne, als auch die Gemeinschaft.

8. Mai 1986, Donnerstag

Heute vor 41 Jahren wurde der Zweite Weltkrieg in Europa beendet. In dem tschernobylschen Unheil geht ein Gedenken an diesen großen Krieg mit seinen verheerenden Folgen unter. Nur die Russen legen dekorativ, im Paradeschritt in Westberlin defilierend, Kränze nieder.

Die Zeitungen melden:
Wesentlich höhere Strahlenbelastung, als bislang von den Behörden mitgeteilt.
Säuglinge und Kleinkinder sind höherer Gefährdung ausgesetzt.
Vielleicht ist Tschernobyl ein Warnschuss zur rechten Zeit.
Strahlung in der Luft fast wieder normal.
Bauern sollen Beweise sichern.
Frankreich - wieder Atomtest auf Mururoa.
Auch Gemüse unter Glas stillgelegt.
Salat ist nicht zu verkaufen.
Milch wird nicht abgesetzt.
Moskau wirft Bundesregierung Panikmache vor.
UDSSR bestätigt Flucht der Einwohner vor Radioaktivität.

Moskau, 7. Mai (Reuter)
Die amtliche sowjetische Nachrichtenagentur TASS hat am Mittwochabend Berichte westlicher Medien bestätigt, nach denen verängstigte Bewohner der ukrainischen Hauptstadt

Kiew versuchten, vor der Gefahr der radioaktiven Verseuchung, durch das nahe gelegene Kernkraftwerk Tschernobyl, zu fliehen. Vor allem Eltern seien wegen ihrer Kinder beunruhigt. Vor den Bahnhöfen und den Büros der Fluggesellschaft Aeroflot hätten die Menschen Schlange gestanden.

Nach diesem atomaren Unfall wird der Tod langsam kommen. Noch in Jahrzehnten werden Verstrahlte sterben. Diesen Tod sieht man nicht. Man riecht und schmeckt ihn nicht. Man hört ihn nicht, man fühlt ihn nicht. Es ist nicht irgendein Tod, es ist der unheimliche Gevatter Tod, der von den Menschen unserer Zeit gerufen wird. Diesmal noch, in uns kaum bekannten Arten, nicht so schnell, wie damals in Hiroshima. Haben wir Hiroshima schon vergessen? Lesen wir doch einmal bei Robert Jungk in Strahlen aus der Asche nach:
„Nach und nach hatten die Überlebenden ... sich aus dem inneren Todeszirkel der Bombe zwei, drei, ja bis zu vier Kilometer im Umkreis vom Punkt ihrer stärksten Wirkung zurückgezogen. Dieser böse, vielfach gezackte desolate Fleck lag nun verlassen von allem Leben da, eingesprengt in das grünwuchernde Mündungsgebiet des siebenarmigen Flusses Ohta, auf dessen Wasser noch immer mit jeder Ebbe und Flut, gefallenen Bäumen gleich, Leichen stromauf, stromab trieben; die Männer seltsamerweise auf dem Rücken, die Frauen auf dem Bauche schwimmend."
Dieses Grauen, dieses unheimliche Opfer des Krieges, dargebracht auf dem Altar des Gottes der Atomzertrümmerung,

hätte wahrlich ausreichen müssen, die Menschen zur Umkehr zu zwingen.

9. Mai 1986, Freitag

Vierzehn Tage nach Tschernobyl.

Langsam erwachen die Politiker der Bundesrepublik Deutschlands. Die Freien Demokraten halten sich in Sachen Kernkraft zurück, die Grünen hingegen wollen sofort abschalten. Die Sozialdemokraten verkünden ein großes, donnerndes JEIN! Doch die Christdemokraten können nicht abschalten, vielleicht nur der Herr Biedenkopf. Von Herrn Strauß und seiner bayerischen Schwesternpartei hört man fast nichts. Die Welt überschreibt einen Kommentar lapidar mit:

Gruselorchester!

Beim Stern wird der zuständige Chefredakteur, Herr Winter, gefeuert, er hatte Tschernobyl verschlafen. In Hessen gibt es einen Koalitionskonflikt, dort ist der Grüne Joschka Fischer. Die Bundesregierung wirkt offiziell der Panik entgegen.

In der Ukraine ist der Reaktor noch immer außer Kontrolle und Moskau bestätigt wiederum die panikartigen Zustände in Westrussland. Eine Frau bei Kiew behauptet, ihre Haare seien radioaktiv und ein Professor Scheer rechnet mit bis zu 30.000 Toten in der Bundesrepublik.

Bonn will von Moskau Schadenersatz, die Rückantwort - daß

kein Schaden entstanden sein könne - folgt umgehend, denn Herr Zimmermann habe persönlich festgestellt, daß für die Bundesrepublik keine Gefahr besteht. Übrigens, Herr Strauß soll auch nicht mehr hinter Herrn Zimmermann stehen. Richtig ist hingegen, daß er sich nicht vor ihn gestellt hat.

Über das Restrisiko wird nun viel geredet. Immer, beim Autofahren und beim Alkoholverzehr, beim Sport, auch bei der Arbeit und im Haushalt, also einfach immer und überall. Irgendeiner hat angeblich das Restrisiko bei der friedlichen Nutzung der Atomenergie mit 150.000 Krebstoten geschätzt. Unter welchen Bedingungen und Zeiträumen hat er nicht verraten. Ein GAU würde nur alle 10.000 Jahre stattfinden und somit beginnt diese Zeitrechnung mit dem Jahr, in dem der erste Atommeiler angefahren wurde. Weltweit laufen inzwischen 352 Stück und so sieht die Zukunft der Größten atomaren (anzunehmenden) Unfälle aus:
10.000 Jahre geteilt durch 19 Kernkraftwerke in der Bundesrepublik ergibt alle 562,3 Jahre einen GAU. In Europa mit der UDSSR sind 191 Meiler im Betrieb, und somit kann man für dieses Gebiet schon alle 52,3 Jahre einen GAU einplanen. Weltweit darf alle 28,4 Jahre mit einem GAU, da 352 Atomkraftwerke insgesamt in Betrieb sind, gerechnet werden. Allerdings ist kaum anzunehmen, daß sich die Kernspaltung nach dieser Rechnung richten wird. Außerdem ist der so genannten *Größte anzunehmender Unfall* nirgendwo klar definiert. So kann das Entweichen radioaktiver Dämpfe ebenso

wie eine Kernschmelzung zum GAU führen. Viele Störfälle sind schon in den letzten Jahren aufgetreten, niemals in regelmäßigen Zeitabständen, nicht alle 10.000 Jahre oder in jedem fünften. Eine gehörige Portion Dummheit muß man jenem Politiker unterstellen, der öffentlich darlegte, daß es in der Ukraine keinen GAU gegeben habe, denn der Atomkern wäre nicht durch den Betonboden geschmolzen. In Harrisburg in den USA wäre es auch nur ein Störfall gewesen.

Uns Lebende interessiert kein Störfall, kein Mini- oder Super-Gau. Wir wollen leben und wir wollen, daß unsere Kinder auf unseren blauen Planeten ein lebenswertes Dasein führen können!
Begreift doch endlich!
Ihr, die ihr da am Drücker sitzt!

10. Mai 1986, Samstag

Am zweiten Samstag im Wonnemonat regnet es in Westdeutschland in Strömen. Die Radioaktivität der Luft wird in die Erde gewaschen. Die Pflanzen schießen in die Höhe. Bauern tragen Gemüse, Salat und Heu zu riesigen Abfallbergen inmitten der Felder zusammen. Die Früchte ihrer Arbeit sind nicht zu verkaufen. Viele Landwirte wollen das Grün unterpflügen, doch dadurch würde der Boden noch stärker verseucht. Das Vieh zertrümmert in den Ställen die Boxen. Nach langem Winter wollen die Tiere in die Freiheit des Frühlings. Die Schrebergärtner essen ihr Grünzeug weiter. Sie sind der Meinung, daß viel Waschen helfen würde. Cäsium und Strontium dringen in die Wurzeln ein. In wachsenden Pflanzenteilen sammeln sich strahlende Elemente. Das Zeug sitzt nicht nur auf der Gurke, es ist auch in ihr drin. Gartenbesitzer lassen den Rasen bis zur Mannshöhe wuchern, irgendwann wird er einmal gemäht werden, vielleicht von der Schwiegermutter oder von einem Erbonkel. Dann wird man das Abgemähte abholen lassen. Männer in Schutzanzügen mit Gasmasken werden dann den strahlenden Abfall in das atomare Endlager bringen.

Die Entsorgung ist ein ungelöstes Problem. In der vergangenen Zeit hat sich eine ungeheure Menge atomarer Abfallstoffe angesammelt. Wir, die Heutigen, haben für die zukünftigen 10.000 Jahre schon vorgesorgt. Keiner weiß wohin damit.

Einige wollen den Atommüll tief in die Erde einbringen, andere kippen das strahlende Gift einfach in den Ozean. Ganz fortschrittliche Regierungen wollen den radioaktiven Abfall in das Weltall schießen, doch im Jahr 1986 gelangen nur selten Raketen in den Himmel.

Jeden Morgen schocken die Zeitungen die bundesrepublikanischen Bürger. Die nackte Angst kriecht aus dem Papier über die Frühstückstische in das Leben der Wohlstandsgesellschaft.

Bild macht auf:
Löschen und Sterben - Todeskommando ins Atomfeuer, weiter geht es mit dem Horror, Hessens Fleisch verseucht, Messung ergibt 300.000 Becquerel - bei Schafen 760.000. Alpen: Der Schnee strahlt, im Reh sind 17 Millionen Becquerel Jod und 3,3 Millionen Cäsium.

Andere Tageszeitungen:
Bundesregierung fordert weltweit Konsequenzen.
Kanzler fordert Gorbatschow zu präziser Antwort auf.
Umweltschützer kontra Joschka Fischer.
Rau stößt auf Widerspruch der SPD.
(Er will nicht abschalten!)
Im Knoblauchland stinkt es gewaltig.
(Gemeint ist ein Gemüseanbaugebiet bei Nürnberg.)
Einstieg in den Ausstieg.
Auch in Moskau Sorge um Milch und Salat.

Folgen des Atomunfalls werden den Sowjetbürgern bewusst.

Moskau, 9. Mai, Hans-Joachim Deckert:
... Immerhin wissen wir mittlerweile, daß 84 000 Menschen, im Wesentlichen wohl die Einwohner der Reaktorgemeinde Pripjat und der 18 Kilometer entfernten Mittelstadt Tschernobyl ihre Wohnung verlassen mussten. Zudem hat man in Kiew rund 250.000 Kinder am Freitag, zehn Tage vor dem eigentlichen Termin, in die Sommerferien geschickt...

In der Welt liest man:
Nebel und Helden über Tschernobyl.
Berichte über heldenhafte Rettungseinsätze bilden einen auffälligen Kontrast zu den angestrengten Bemühungen, normale Alltagsstimmung zu verbreiten. Auch die Mediziner vollbringen große Leistungen in dem Katastrophengebiet. 1.300 Ärzte und Krankenschwestern arbeiten rund um die Uhr. Hubschrauberpiloten berichten über das Abwerfen von Sandsäcken in den glühenden Krater. Der erste Anflug war der Schwierigste.

Heldenlegenden entstehen. Dem Leser gruselt es.

11. Mai 1986, Sonntag, es ist Muttertag

Die WAMS bringt ein Bild ... und streicheln deine Hände. In der Spalte daneben, auf der Titelseite, unweit der Mutterhände, die einen Blumenstrauß halten, die Zeile:
Abtreibungen aus Angst vor Tschernobyl.
Danach:
... erhob Ministerin Rita Süssmuth schwere Vorwürfe gegen einige Ärzte, die Frauen wegen der radioaktiven Strahlenwerte zum Schwangerschaftsabbruch geraten haben. „Wegen Tschernobyl muß sich keine schwangere Frau um ihr Kind Sorgen machen", sagte Frau Süßmuth.

In der Verantwortung von Eva liegt das Ja zum Leben, für das Leben von Morgen und allen nachfolgenden Generationen. Weglaufen, keine Verantwortung, keine mongoloide oder skropholöse Kinder, lieber Wegmachen - mein Bauch gehört mir - Lust ohne Frust, ohne Last, selbst leben, ohne Leben zu geben. Angst, no Future, im Jahr XYZ gibt es sowieso keine Deutschen, keine Engländer, keine Franzosen und keine, ach, was weiß man, Menschen mehr.

Wir Frauen wollen auch leben, wir sind nicht die Sklaven des Mannes. Die derzeitige CDU-Bundesregierung hat das Kindergeld erhöht und das Babygeld dazu gelegt. Vielleicht fällt beim nächsten Kind ein Auto ab. Die Bedrohung des Lebens durch Strahlen und Gase, unsere ganze verdreckte Welt, die sterbenden Wälder, die zubetonierten Landschaften und die gelben, stinkenden Flüsse, all dieses ungeheure Vernichten unserer Lebensgrundlagen, das macht mutlos. Soll ich wirklich mein Kind in diese Welt hinein gebären? Frauen, Mütter, Hüterinnen des Lebens, immer und immer wieder wurdet ihr missbraucht. Söhne für das Vaterland, Söhne für Ideologien, Söhne für Heilsbringer und Söhne für Irre. Für Falkland, für Afghanistan, für Vietnam, für Frankreich, für das großdeutsche tausendjährige Reich oder für den Kreuzzug des Kaiser Rotbart Lobesam mit dem Namen Barbarossa. Eva, wo ist dein Engagement? Was hat die Frau in der Geschichte der Menschheit für den Frieden getan? Warum geht sie nicht friedlich für den Frieden auf die Straßen? Wo sind die Frauen der Welt, die die Bedrohung dem Mann aus der Hand schlagen? Frau Loki Schmidt, Frau Hannelore Kohl, Frau Nancy Reagen, Frau Raissa Gorbatschow und all ihr anderen, die ihr mit den Mächtigen lebt, was sagt ihr zu Tschernobyl, zu der elementaren Angst vor dem Atom, zur Bombe, zur Apokalypse unserer Zeit? Warum hinderte keine Frau den Mann Edward Teller die Bombe zu bauen? Gleichen wir Menschen den Lemmingen, die blind in den Tod laufen? Sperren wir uns nicht mehr gegen das Verlangen des Todes? Wir, die gesamte Menschheit als Einheit, als Gruppe, Stamm, Volk, Rasse. Wir mit unserer Sucht zur Selbstvernichtung, dem kollektiven Selbstmord, der Endzeitlösung, der Götterdämmerung, dem Holocaust. Der Wahnsinn der Rüstung - warum sollen die Amis die Russen vernichten, wenn der Iwan keine Waffen mehr hat? Aber nein, es wird verbissen gekämpft, gemordet, Völker werden ausradiert. Gründe dafür werden konstruiert, auch im Namen der Freiheit. In unseren Krankenhäusern ringen Ärzte um das Leben von Sterbenden - Herr, gib mir einen leichten Tod. An künstlichen Apparaturen siechen Menschen, die Sense des erbarmenden Gevatter Tod wird matt gesetzt. Doch auf Schlachtfeldern verbluten Hunderttausende. Hunger und Pestilenz, die Dummheit und der Wahnsinn, Intoleranz und Bigotterie lassen das Feld für den Sensenmann üppig wuchern. Auch wehe uns, wenn Eva die Macht hat, dann werden Frauen zu Amazonen, Indira Ghandi oder Margret Thatcher.

12. Mai 1986, Montag

Pünktlich erscheint wie immer der Spiegel. Einst hatte sich die Zeitschrift das Ziel gesetzt, uns in ihm wiederzusehen. Spiegel der Bundesrepublik, manchmal auch etwas Welt, aber auch manchmal ein Spiegelchen mit Eulen- oder anderen Spiegelleien. Nun, Nummer 20 des Jahres 1986 liegt vor, der Originaltext ist immer noch lesenswert:
Noch immer qualmte Ende letzter Woche die Uran-Lava im Reaktorblock 4 des Kraftwerks Tschernobyl; versuchten die Sowjets durch Abwerfen von Blei, Bor, Lehm und Sand die fortdauernde radioaktive Strahlung zu vermindern; suchten sie sich mit einem Tunnel an die Reaktorschmelze heranzugraben, in der Hoffnung, die womöglich nach unten durchsackende Masse in ein Beton-Grab zu versenken, damit sie sich, während die Jahre ins Land gehen, allmählich abkühlt.
Dann gab es noch eine schöne Grafik mit der Darstellung eines zehn Kilometer großem Todesradius und eines Evakuierungskreises mit einem Durchmesser von 30 Kilometer. Farbig, eindrucksvoll gestaltet, um die bundesrepublikanischen Meiler herumschraffiert.
Auf Seite 25 dann eine Mutter mit Kind, Strahlenopfer der Nagasakibombe vom August 1945.

Irgendein Mediziner stellt in diesen Tagen richtig, daß es keine Strahlenkrankheit gibt, sondern nur den Strahlentod. Bei Robert Jungk, Strahlen aus der Asche, findet man die Aufstel-

lung eines Strahlenfachmannes Tsuzuki über vier typische Perioden - der damals so bezeichneten - Atombombenkrankheit:
Perioden; das sind erstens das Frühstadium, zweitens das Mittelstadium, drittens das spätere Stadium und viertens das Endstadium. Einschließlich der dritten Periode ist anzunehmen, daß der Tod innerhalb von zwölf Monaten eintrat.

In der heutigen Bild - Zeitung steht dann noch:
In Stuttgart haben die Sowjets jetzt unsere *Atomfeuerwehr* abgeholt. ... Die fünf Millionen Mark Kaufpreis brachten die Russen im Koffer mit.

In Kiew werden die Straßen von Wassersprengautos gewaschen. Das ist lediglich nur eine Vorsorgemassnahme. In Finnland fallen die Vögel tot vom Himmel, und in Jugoslawien sollen die Tiere an die Stämme der Bäume flüchten.

Tschernobyl = Schwarzes Gras = Wermut?

Und es blies der dritte Engel: Da fiel ein großer Stern vom Himmel, der wie eine Fackel brannte, und fiel auf den dritten Teil der Flüsse und auf die Wasserquellen.

Und der Name des Sternes heißt *Der Wermut*; und der dritte Teil der Wasser wurde zu Wermut, und viele Menschen starben von den Wassern, weil sie bitter geworden waren. (Offenbarung des Johannes, Apokalypse, 8,10 - 8,11)

13. Mai 1986, Dienstag

Angetrieben von dem Unglück in der Ukraine formierten sich am Wochenende die ersten Demonstrationszüge, kurz Demos genannt. In einigen Großstädten gingen die Bürger auf die Straßen. Die Demonstrationsschwerpunkte waren wie in den letzten Jahren Wackersdorf und Brockdorf. Gewalt kam auf. Bewaffnete Chaoten, vermummte Gestalten, Randalierer mit *Hau weg den Scheiß*, kaum dienlich dem Ziel, eine neue Welt zu schaffen. Diese anarchistische Gewalt hindert die überzeugten Friedlichen, sich zu engagieren.

Die Presse vom Dienstag formuliert in Schlagzeilen:
Strahlen - Entwarnung aus Bonn
Gorbatschow tobt, Köpfe rollen
Biedenkopf für langfristigen Ausstieg
Unglücksreaktor soll weiter arbeiten
Kanzler sauer auf Süssmuth und Zimmermann
Belastung höher als durch 30 Jahre Atomteste
530 Millionen DM für die Landwirtschaft
Gardist mit offener Hose vor der Queen: Verhaftet
Korruptionsskandal in der Sowjetunion

DIE WELT, Moskau:

Die Aufdeckung betrügerischer Praktiken bei der Abgabe von Benzin und Motoröl hat nach einem Bericht des Moskauer Parteiorgans Prawda zu einer Reihe von Verhaftungen und Entlassungen geführt. Stichproben ergaben bei 427 Tankstellen und Unternehmen, die für die Bereitstellung von Benzin für Taxis und Dienstwagen von Ministerien und Behörden zuständig sind, daß 323 davon, manipulierte Messinstrumente benutzen.

Für die Verhältnisse im Paradies der Lenin, Marx und Engels ist diese Notiz sicherlich nicht besonders bemerkenswert. Dort, im weiten Land des Sozialismus, funktioniert das Leben nur noch mit und durch die Korruption. Der Verfall von allen moralischen Werts steuert in die Anarchie.

Beobachtung eines Touristen in Sotschi am Schwarzen Meer: Lebhafter Autoverkehr auf der Strasse zwischen Hotel und Strand. Schwere Lastkraftwagen brummen mit leeren Ladeflächen, schwarze Abgaswolken ausstoßend, durch die milde Luft. In den Fahrerhäusern hocken dicht gedrängt Menschen. Im Zeitabstand von ein bis zwei Stunden tauchen immer wieder die gleichen Fahrzeuge auf. Die Oma muß zum Zahnarzt, der kleine Iwan zur Schule, Mamuschka zum Markt, denn dort soll es Gurken geben. Alle müssen auch wieder abgeholt werden. Lastkraftwagen im Einsatz als Sammeltaxen. Die notwendige einmalige Fahrt für die Kolchose wird am frühen Morgen erledigt. Ein kleiner Einblick in die gelenkte Wirt-

schaft, Planerfüllung - Sollerfüllung. Wodka fließt in Kiew wieder. In Milch- und auch im Bäckerladen kann man den Stoff kaufen. So denken sie, die dort in den Schlangen vor den Schnaps-Abfüllstationen stehen:
Wenn die in Moskau noch nicht einmal die Atome zähmen können, dann können sie uns auch nicht unser Wässerchen verbieten. Nastrowje, Brüderchen, ... und eigentlich wollte Michael Gorbatschow doch den Alkohol und die Vetternwirtschaft, die Nomenklatur und die Filzokratie abschaffen. Auch wollte er immer die Wahrheit sagen.

Welichow, ein Wissenschaftler, versichert, daß die theoretische Wahrscheinlichkeit einer Katastrophe nicht mehr besteht.

14. Mai 1986, Mittwoch

Am 19. Tag nach dem Desaster in Tschernobyl hat die radioaktive Wolke die Erde einmal umkreist. Für Otto Wolff von Amerongen, dem Präsidenten des Deutschen Industrie und Handelstages, ist die Kernenergie unverzichtbar. Professor Hans Karl Schneider ist überzeugt, daß bei einem Ausstieg aus der Atomenergie der Strom sehr teuer wird. Die CDU lacht Herrn Zimmermann aus, denn der hat festgestellt, daß es außer dem GAU, auch einen Atom-Wirrwarr gibt. Dem armen Bürger kommt dies alles gar nicht lächerlich vor. Bis heute hat er Herrn Becquerel und Madam Curie nicht verstanden. Die Rads und Rems, die Halbwertzeiten und die Atomgewichte schwirren zwischen Kalkar, Brockdorf, Wackersdorf und Krümel, zwischen Biblis, Grafenheimfeld, Obrigheim, Stade, Brunsbüttel, Neckarwestheim, Phillipsburg und Esensham und Uentrup und Lingen und Tschernobyl in den verwirrten Köpfen umher.

Wissenschaftler spotten, wenn die Bürger dies alles nicht verstehen; dann sollen sie sich, na, bitte schön, doch halt mal bilden. Wie denn? Oder vielleicht hilft hier die Broschüre „Wie verhalte ich mich bei nuklearen Explosionen?"
Sie soll sehr empfehlenswert sein. Hoffentlich haben wir dann

unsere Aktentaschen griffbereit. Die sollen helfen, auf den Kopf gelegt, die Augen fest geschlossen, so wirst du nicht vom Blitz getroffen ... und die Buchen sollst du suchen und die Eichen sollst du meiden.

Also fordern wir:
Aufnahme neuer Fachgebiete in den Grundschulunterricht, gegliedert in die Fächer:

1. Nukleare Kriegskunde
2. Chemische Kriegskunde
3. Biologische Kriegskunde

Dann werden alle irgendwann den klaren Durchblick haben. Dann werden uns solch kleine tschernobylschen Frühlingswindchen, so ein paar gentechnologisch veredelte Intelligenz-Ratten oder einige chemisch entlaubte oder in Gänze verstorbene Wälder nicht mehr verwirren. Herrliche, neue Welt, schnabelartige oder wie auch immer, in Schutzanzüge gekleidete, gefilterte Luft atmende Wesen, werden dann unseren Nachlass sortieren und verwundert die Störfälle unserer Zeit analysieren.

Gestern, am Dienstag, beschloss das österreichische Kabinett in Wien, mit der Bonner Regierung Verhandlungen mit dem Ziel aufzunehmen, einen Verzicht auf die Aufbereitungsanlage in Wackersdorf zu erreichen. Die Österreicher mögen die

Kernenergie nicht, ihr einziges Werk hat nie die Produktion aufgenommen.

Die Sowjets haben indessen 100.000 Menschen in der Ukraine ärztlich untersucht. Sie behaupten, daß in Tschernobyl keine Strahlung mehr austrete. Am Stadtrand von Moskau werden alle ankommenden Autos mit Zulassungsnummern der Ukraine, nur zur Sicherheit, wie behauptet wird, untersucht. Bei uns in der Bundesrepublik sind Geiger-Müller-Zähler ausverkauft.

... und fiel auf den dritten Teil der Flüsse und auf die Wasserquellen. Und der Name des Sternes heißt Wermut. Der dritte Teil des Wassers wurde zu Wermut, und viele Menschen starben von dem Wassern, weil sie bitter geworden waren.

Und irgendeiner sagte: Tschernobyl, das heißt Wermut.

15. Mai 1986, Donnerstag

Die Weltuntergangsstimmung greift immer mehr um sich. Es wird schon von einer neuen Zeitrechnung gefaselt. Danach wäre heute der 20. Tag nach Tschernobyl, im ersten Monat des ersten Jahres.

Allerdings hören und lesen wir nun täglich, daß es bei uns keinen Unfall, wie dort zwischen Kiew und Gomel geschehen, geben kann. Wie gesagt, bei uns gibt es keine Schlamperei. Es ist alles sicher gebaut, Druckgebäude über den Reaktoren, so dick und massiv, sogar Flugzeuge können darauf stürzen. Erstklassige Arbeit, mit denen in Russland nicht zu vergleichen, besser noch wie in Frankreich, einfach die sichersten der Welt. Nun denn, in Stade soll der Beton porös sein. Gegen die Überheblichkeit der Menschen gibt es keine Sicherheit.

Restrisiko!

Es ist notwendig, umzudenken. Hier muß zur Sicherung der Menschheit neu gedacht werden. Der Mensch muß sein eigenes Tun in Frage stellen. Das geht nicht mit Stahlkugeln oder Pflastersteinen, das geht nur mit geistiger Beweglichkeit. Hier ist ein langer Marsch der Intelligenz durch die Gehirne der

Menschen notwendig. Es ist nicht lebenswert, als manipulierter Sklave der Technik auf unserem blauen Planeten zu vegetieren. Notwendig ist eine geordnete Freiheit im Lebensraum unserer Erde, dadurch kann eine Einbettung in das All gelingen. Alle Gesetze der Natur erfordern ihre Berücksichtigung in einer neuen Bescheidenheit, die nur die Nutzung der machbaren Verträglichkeit anerkennt.

Machet Euch die Erde untertan.
Vernichtet sie bitte nicht!

Michael Gorbatschow sprach gestern das erste Mal zu Tschernobyl: ... derart schreckliche Kraft, wie es die außer Kontrolle geratene Atomenergie ist.

Außerdem sagte er, daß man nun das Schlimmste hinter sich habe und es gelungen sei, die schwersten Folgen zu verhindern. Auch erwähnte er neun Verstorbene. Einer wurde durch herabstürzende Trümmer nach der Explosion getötet, einer wurde von dem austretenden Dampf verbrüht und die anderen sieben konnten trotz Knochenmark-Transplantationen nicht gerettet werden. Insgesamt seien 299 Personen verstrahlt worden. Demnach ist festzustellen, daß die Politiker die Sprache wieder gefunden haben.

In der Neuen Osnabrücker Zeitung kommentiert Alfred Brugger: „... *ebenso hätte sich der Bundeskanzler nichts dabei vergeben, die von Oppositionsführer Vogel erhobene Kritik vorwegzunehmen. Maßgebliche Mitglieder seines Kabinetts zeigten sich in der Not wahrlich nicht in einem strahlenden Licht. Zimmermanns Abrakadabra, Riesenhubers Überheblichkeit und das Verstummen der Frau Minister, die für die Gesundheit der Bürger ressortiert, sind nicht wie Betriebsstörungen abzutun."*

Auch werden in diesen Tagen immer mehr nukleare Störfälle bekannt. Im November 85 gab es ein Leck im Reaktor-Kühlsystem des größten britischen Kernkraftwerkes in Hinkley Point. Ein Schraubbolzen hatte das Kühlsystem durchschlagen. Dies also trotz ungleich höherem Sicherheitsaufwand der westlichen Reaktoren. Bundeskanzler Kohl präzisierte seine Stellungnahme in dem Satz: *Wer abschaltet, vernichtet Arbeitsplätze.*

16. Mai 1986, Freitag

Wird es jemals gelingen, die Menschheit von Angst und Misstrauen zu befreien oder müssen wir uns damit abfinden, daß selbst internationale Katastrophen dafür benutzt werden, politische Polemik zu betreiben? Wie weit wir von gegenseitigem Wohlwollen und Verständnis entfernt sind, demonstriert Herr Jerzy Urban, der Sprecher der polnischen, von Jaruzelski geleiteten Regierung. Das von den Amerikanern gespendete Trockenmilchpulver sei von Feindseligkeit verseucht und es wäre kein aufrichtiges Geschenk. Angenommen wird es schon, aber die polnische Regierung wird 50.000 Schlafsäcke und Wollsocken den Obdachlosen in New York spenden. Diese Armen im reichen Amerika werden sicher dankbar sein, doch mit welch politischer Häme werden solche Ost-West-Aktionen abgewickelt. Dort in Polen liegen Gebiete, die fünfhundert- bis tausendfache Strahlungswerte aus dem nahen, brüderlichem, sozialistischen Nachbarland empfingen. Hingegen lesen in Moskau verblüffte Sowjetbürger in der Regierungszeitung Iswestija, das heißt Nachrichten, unglaubliche Begründungen des tschernobylschen Desasters. Da kann man lesen, daß die beiden wichtigsten Zeugen der antisowjetischen Verleumdung, die den Reaktorunfall für ihre finsteren Machenschaften missbrauchen der liebe Gott und der deutsche Außenminister Genscher wären. Denn ... bei unerwarteten Schicksalsschlägen pflegten unsere Vorfahren immer wieder zu sagen: Wir alle wandeln unter Gott. Jetzt muß man sagen: Wir alle wandeln unter dem Atom.

So steht es in der amtlichen, atheistischen Regierungszeitung des marxistischen-leninistischen Systems. Den Herrn Genscher ruft man zum Kronzeugen auf, denn dieser habe ja gesagt, daß nach dem Unfall in Tschernobyl die Welt kleiner geworden sei. Daher müsse man zusammen halten und Maßnahmen zur Stärkung des Vertrauens zwischen Ost und West besonders fördern. All diese Freundlichkeiten beziehen sich natürlich nicht auf die besessenen Sowjetisten - wen kann man damit nur meinen - die nach der Reaktorhavarie Panik verbreiten.

Weiter geht es mit Schlagworten ... *die, mit der Radioaktivität des Misstrauens gegen die Sowjetunion die Atmosphäre vergiftet haben, denn sie haben keine Zungen, sondern vergiftete Stacheln im Mund.*

Es ist eine blumenreiche, fast orientalische Sprache, die sich auch in einem Artikel der gleichen Zeitung vom ersten Mai über einen herrlichen Tag in Kiew, da war der Reaktorunfall schon eine Woche alt, wieder findet:

Im frischen Grün der Kastanien, übersät von samtroten Tulpen, eingehüllt in das rote Tuch der Fahnen, begeht die Hauptstadt der Sowjet-Ukraine den Maifeiertag.

Am 12. Mai formuliert dieses Amtsblatt die Schlagzeile:

Tage der Sorge und des Alarms.

Im nachfolgendem Artikel wird von Evakuierungen berichtet und:

Der Staat arbeitet praktisch Tag und Nacht. Nach 24 Stunden werden die Führer abgelöst, sonst würde man es nicht aushalten, denn es ist wie im Krieg. Einstweilen werden unter schwierigsten Bedingungen hoher Radioaktivität im Kraftwerk Sonderarbeiten durchgeführt.

Greenpeace berichtet von der Atomschleuder der britischen Wiederaufbereitungsanlage in Windscale-Sellafield, dass Fässer mit radioaktiven Müll ungeschützt in Schuppen aufbewahrt werden.

17. Mai 1986, Samstag

Eine dringende Empfehlung der Bonner Strahlenschutzkommission wird veröffentlicht, mit dem Hinweis, den Rhabarber richtig zu köpfen. Die großen Blätter dieses Gewächses wirken wie Sammeltrichter für radioaktive Isotope.

Männer, die im Strahleninferno des Reaktors gearbeitet haben, sterben. Keine Überlebenschancen haben 28 von ihnen, sieben sind schon tot. In Tschernobyl wird noch immer gekämpft. Ein Flutventil im Wasserbecken unterhalb des Reaktors wird von drei Helden in Taucheranzügen geöffnet. Wäre der atomare Kern hindurch geschmolzen, müsste mit einer verheerenden Wasserstoffexplosion gerechnet werden. Durch die Havarie des Kernkraftwerkes entwichen die radioaktiven Elemente Jod 131, Lanthan 140, Caesium 137, Ruthenium 103, Tellur 132, Yttrium 90, Strontium 89 und 90.

Von Volker Kimstädt aus München wird folgender Leserbrief in der Süddeutschen Zeitung veröffentlicht:
„Wenn ich das Durchschnittsalter der bayrischen Staatsregierung betrachte, verstehe ich deren Beschwichtigungspolitik. Diese Altherrenriege kann ganz cool ihre Halbwertzeiten abwarten. Anders mein sechsjähriger Bub, dessen Nachkom-

men derart geschädigt sein können, daß sie die Wohltaten eines Atomstaates gar nicht mehr genießen können".
Washington, 15. Mai (Reuter)
Bei einem unterirdischen amerikanischen Atomversuch auf dem Testgelände von Nevada ist am 10. April nach Angaben des zuständigen Energieministeriums ein Tunnel des Labyrinths mit radioaktiver Strahlung verseucht worden. Beobachtungs- und Aufzeichnungsgeräte im Wert von 20 Millionen Dollar sind dabei unbrauchbar geworden.

Der Macher Mensch beherrscht die Natur sicher!

In Niedersachsen ist Wahlkampf. Die SPD propagiert den Ausstieg aus der Atomenergie. Diese Partei hatte allerdings während ihrer Bonner Regierungszeit den Ausbau des jetzt zu verteufelnden Menschenwerkes besonders gefördert und vorangetrieben. Die Gewerkschaften lehnen noch den Ausstieg aus diesem Energieträger ab. Die Sicherheit der Arbeitsplätze dient als Argumentation, die atomaren Höllenfeuer weiterhin am Brennen zu halten. Noch wird kaum von alternativen Energien gesprochen. Minister Riesenhuber erklärt, daß 70 Millionen Mark für die Erforschung der Solarenergie ohne Erfolg verpulvert worden wären. Nur läppische fünf Milliarden Mark wird hingegen der im Bau befindliche Eintausenddreihundert-Megawatt-Meiler im niedersächsischen Lingen kosten. Riesenhubers Etat ist sowieso eines der niedrigsten im Kabinett. Für Forschung leistet sich die

Bundesregierung noch nicht einmal eine Milliarde Mark, hingegen für die Rüstung über 60.
Die KWU, Erbauer der meisten Kernkraftwerke, beschleunigt energisch das Bautempo bei den in Errichtung befindlichen Anlagen. Sollten die Politiker den Ausstieg aus dem Atomstrom beschließen, so könnten die Energieunternehmen höhere Schadenersatzansprüche für produktionsbereite Anlagen durchsetzen.

Greenpeace weiß zu berichten, daß dreihundert Pannen innerhalb eines Jahres in Windscale als normal gelten.

18. Mai 1986, Sonntag

Heute ist nach dem christlichen Kalender Pfingstsonntag: Sie redeten in vielerlei Zungen - damals sicherlich auch ein Strahlenwunder. Symbol des Friedens, die Taube, umgeben von einem Strahlenkranz, auch mythologisches Zeichen des Heiligen Geistes. Wir erleben in dieser unserer Zeit das Strahlenwunder in der Ukraine.

Schöne Grüße aus Tschernobyl!

Am zweiten Tag der Havarie 15 Milliröntgen Strahlung.
Schafft alle Waffen ab, stellt die Rüstung ein, laßt die Meiler weiter strahlen!
Schon dadurch allein, wird man das Leben killen.

Ingenieur Erich W. wurde in den letzten Tagen verhaftet. Sein Strahlenmessgerät RAD 1 erwies sich schlicht als Betrug. In Bayern fand man in der Muttermilch strahlendes Jod.

Die Poesie der Prawda - *ein Frühlingswind weht über das Land* - ist makaber. Die Leute haben einen besonders schwarzen Humor.

Schlagzeile der WAMS: Wackersdorf ist nicht Tschernobyl.

Mit Schneidbrennern und Vorschlaghämmern wollen die Kernkraftgegner zum Pfingstcamp ins Wackerland ziehen. Blödsinn, diese Randale ist falsch, keine Gewalt, eine neue Denke muß in die Gehirne. Laßt doch mal den Pfingstgeist rein! Radio und Fernsehen melden am Abend die Zahlen der Verwundeten des Schlachtfeldes Wackersdorf. Etablierte Mächtige kann man nicht durch Krieg überzeugen. Wer pfeift die Besen aus Goethes Zauberlehrling zurück?

Verbrannte Erde in der Ukraine, leeres Land, niemals wird wieder Licht in den Häusern brennen. In den Dörfern gackern auf Wegen und Straßen verlassene Hühner. Auf der Suche nach Futter durchwühlen Schweine strahlenden Dreck. Mütterchen Russland weint.
Ohne zu verstehen wurden die Menschen von der Katastrophe überrascht. Das Fernsehen zeigt ratlose Gesichter evakuierter Bauern aus einem fernen Ort an der Wolga. Fremde im Dorf. Sie werden von den Einheimischen gemieden, denn sie könnten die Todesstrahlen mitgebracht haben. Bitter ist das Brot der Fremde, auch die Gemeinschaft der Partei ist keine Zuflucht. Hilflos, erbärmlich und verbittert, mit der Angst vor dem Strahlentod, vegetieren die Vertriebenen von Tschernobyl in vergammelten Unterkünften.

Und das Höllenfeuer im Meiler glüht und brennt und schmilzt

und strahlt in einem fort. Gleißender Ball Materie, die Atome des Kernes verschmelzen, die Kernschmelze findet statt.

Verstrahlte Opfer werden strahlungssicher, eingeschweißt in metallenen Särge, beigesetzt, verbuddelt, unter Ausschluss der Öffentlichkeit. Ein Ahnen apokalyptischer Ängste durchzieht die Menschen. Gerüchte durchwabern die Gemeinschaft derer, die in der Nachbarschaft von Atomkraftwerken leben.

Bei einem GAU von bundesdeutschen Atomanlagen teilt die Katastrophenplanung das gefährdete Gebiet in drei Zonen ein. Die Zentralzone umschließt die kerntechnische Anlage in einem Umkreis von zwei Kilometer unmittelbar. Ein Gerücht will wissen, daß diese Zone im Ernstfall von bewaffneten Kräften umstellt wird. Diese sollen mit Gewalt verhindern, daß Verstrahlte in nicht verseuchte Gebiete vordringen. Eine nahe liegende Vermutung, da für die Bewohner einer derartigen Zentralzone der Versammlungsort in unmittelbarer Nähe der Kernkraftanlage bestimmt wurde.

19. Mai 1986, Montag

In den Medien taucht nun der Begriff alternativer Energiequellen auf. Es wird die Kernverschmelzung, natürlich reguliert, angeboten. Allerdings fehlen noch einige zigtausend Grad Anfangstemperatur. Nun, bisher hat man offensichtlich noch nicht einmal die Kernspaltung im Griff.

Unter der Wolke hilflos, das Spiegel Essay vom 19. Mai. Ein Professor für Soziologie, Karl Otto Hondrich, schreibt:
... Erst in der Zukunft werden wir ermessen können, wie tief und nachhaltig die Störung des Lebensgefühls ist, die anmaßende Allianz von Wissenschaft und Politik über uns gebracht hat. Bis in die Familien hinein ziehen sich die zusätzlichen Konfliktlinien zwischen einer Rationalität der Sorglosigkeit und einer Rationalität der Vorsicht, zwischen Optimisten und Pessimisten.
Diese wenigen Sätze scheinen das bestehende Dilemma recht deutlich zu charakterisieren. Die Unfehlbarkeit der heutigen Wissenschaft, eingebettet in der Arroganz natürliche Gesetze ignorierend zu brechen, treibt die Menschheit in den Abgrund. Die Versuche, die unbeschränkte Machbarkeit des vermeintlich Machbaren durchzuführen, verkürzen verbleibende Zeit. Die Unterstützung durch die Politik verhindert jegliche Regu-

lation. Machtspirale, Konfliktsituation, Eskalation und dergleichen tolle Worte sind die vordergründigen Entschuldigungen für die Selbstbefriedigung der Machtgelüste kleinster und größter Staaten.

Willst du nicht mein Bruder sein, so schlag ich dir den Schädel ein. Das passt auch noch in unsere Zeit.

In Wackersdorf wurden an den Pfingstfeiertagen 160 Polizisten durch Stahlkugeln, Molotow-Cocktails und Brandbomben verletzt. Bürgerkrieg in Bayern. Hubschrauber nebelten Krawallos, ebenso wie friedliche Bürger, mit Spezialgas ein. Panikartige Zustände.

In Russland sollen inzwischen 100.000 Menschen verstrahlt sein. In Scharen ziehen weinende Frauen zur Abtreibung in Kliniken.

Hubschrauber lassen noch immer mühsam Sand auf den Havaristen rieseln. Arbeiter oder Strafgefangene buddeln in Kolonnen die Erde unter dem Reaktor heraus. Der Kern ist nicht durchgeschmolzen. Brennendes Plasma schwebt, einer Sonne gleich, im Meiler.

Bild der Frau bietet die Pille gegen Strahlen an.
Herr Zimmermann hatte einst geschworen:
Den Nutzen des deutschen Volkes zu mehren und Schaden

von ihm zu wenden.
Die GRÜNEN fordern die Abschaltung aller Meiler jetzt und für immer. Die SPD tut sich schwer, wegen der Arbeitsplätze. Die CDU hat alles sicher im Griff. Für die CSU ist das eine Verschwörung der GRÜNEN, damit diese Burschen die Abschaltung erzwingen können. Öffentliche Diskussionen erinnern in diesem unserem Land in diesen unseren Tagen an Debatten in Biergärten des Freistaates Bayern.
Doch Tschernobyl ist sicher ein Meilenstein am Weg der Menschheit. Werden die Tausende oder sogar Millionen von Toten dieser einen Kernschmelze, den gleich Lemmingen in den Untergang ziehenden Menschen, Einhalt gebieten?
Sicherlich nicht, denn wir brauchen doch Strom und FCKW und Autos und, und, und, damit es uns wohl ergehe auf dieser unserer Erde.

O, Herr schütze uns vor der Pest, Cholera, Krebs und Aids.
Bewahre uns vor der Dummheit der Politiker, vor Ärzten ohne Gnade und vor der Gewalt unserer Mitmenschen.
Gebiete dem Geist derer Umkehr, die sich anmaßen, Dich auf Erden zu ersetzen oder vorgeben, in Deinem Namen zu sprechen.
Behüte uns vor Krieg, vor Waffen, auch vor denen, die sie mit A B C bezeichnen oder die noch mit weiteren Buchstaben zukünftig benannt werden.
Lerne uns Bescheidenheit und schenke uns dereinst einen gnädigen, kurzen Tod.

Drei Jahre nach Tschernobyl

20. April 1989, Pressemitteilung
UDSSR beschließt Baustopp in Tschernobyl

Moskau, 20.4. (dpa/Reuter)
Die sowjetische Regierung hat einen Baustopp für den fünften und sechsten Reaktorblock des Unglückskraftwerks Tschernobyl beschlossen. Außerdem will Moskau künftig überhaupt keine Graphitreaktoren vom Tschernobyl-Typ mehr errichten, wovon Erweiterungen der Atommeiler von Smolensk und Kursk betroffen sind. Wie die amtliche Nachrichtenagentur TASS am Donnerstag weiter meldete, sollen die in den 70er Jahren gebauten Reaktoren mit zusätzlichen Sicherheitssystemen ausgebaut werden. Seit der Katastrophe von Tschernobyl sind die Menschen noch immer starker Radioaktivität ausgesetzt. Es mehren sich laut TASS die Rufe nach Evakuierung.

Vier Jahre nach Tschernobyl

Am Sonntag, den 8. April 1990 liest man in der WAMS unter dem Aufmacher:
Gigantische Kosten, anhaltende Verseuchung
Bilanz vier Jahre nach Tschernobyl:
Schwere Krankheiten und Missgeburten!
Die Unglückskosten sind 20 Mal höher, wie die UdSSR-Regierung zunächst geschätzt hatte.
Die radioaktive Strahlung ist noch immer gefährlich hoch.
Es war das schwerste Desaster von dem die Sowjetunion in Friedenszeiten betroffen wurde. Finanziell folgenreicher als das Erdbeben von Armenien im Jahr 1988.
Eine wissenschaftliche Studie veranschlagt die Kosten bis zum Jahrtausendwechsel jetzt auf 500 bis 600 Milliarden Mark.
Ein Gebiet von 31.000 Quadratkilometern - das ist die Größe der Niederlande - ist mit Cäsium, Strontium und anderen radioaktiven Elementen verseucht.
60 Kilometer von Tschernobyl entfernt ist noch immer eine neunfache Erhöhung der Strahlenmenge nachweisbar.
Seit anderthalb Jahren steigt die Zahl der Erkrankungen der Schilddrüse. Eine Vermehrung von Krebsleiden und Blutarmut ist nachweisbar.
Bei Tieren sind schwere, genetische Defekte zu registrieren. Ferkel ohne Augen, Kälber mit deformierten Köpfen, Katzen mit entarteten Pfoten.
Untersuchungen kommen zu dem Ergebnis, daß die verseuch-

ten landwirtschaftlichen Flächen auf Jahrzehnte hinaus unbrauchbar sind.

Diesem Welt am Sonntag-Bericht sind Schwarz-Weiß-Abbildungen einer großpfotigen Katze, eines augenlosen Ferkels und eines deformierten Rindermaules beigefügt.

Fünf Jahre nach Tschernobyl

Freitag, 26. April 1991, schon wieder ist ein Jahrestag. In der Union der Sozialistischen Sowjetrepubliken ist ein politisches Desaster ausgebrochen. Revolution, Kämpfe verschiedener Völkerschaften, die Herrschenden verlieren die Macht. Jelzin ist der neue Star.
In der Ukraine, Weißrussland und Russland strahlt es weiter. Nicht nur durch Tschernobyl. Ziviler und militärischer, radioaktiver Schrott belastet die Umwelt. In den westlichen Ländern wächst die Angst, daß die atomaren Waffen der ehemaligen Sowjetarmee in die Hände von Terroristen, Revolutionären, Extremisten oder Hasardeuren gelangen könnten. Die Menschen beginnen sich vor einem unkontrollierten Ausbruch eines atomaren Schlages zu fürchten. Politiker werden mit dem Begriff Atomschmuggel konfrontiert.

Die Folgen des GAU von Tschernobyl belasten alle Lebensbedingungen. Er führt zu vermehrten, bösartigen Krankheiten und erhöht die Sterblichkeitsrate. Die statistische, durchschnittliche Zeit der Lebenserwartung sinkt schnell. Mit der Ernährung nehmen die Menschen in der Ukraine und in Belorussland verstrahlte Lebensmittel auf. Pilze und Beeren werden gesammelt und gegessen. Auf kontaminierten Böden wächst Gemüse und Obst. Die Nutztiere nehmen verstrahltes Futter auf und geben die Becquerel-Einheiten an die Menschen weiter. Verbote werden umgangen, die Bevölkerung ist arm, und der Nahrung sieht man die todbringende Gefahr nicht an. Besondere Belastungen werden durch Verwaltungsakte der örtlichen Behörden den Bewohnern der verstrahlten Regionen auferlegt. Einerseits werden bis zu 30 Rubel, im Volksmund *Sarg-Geld* genannt - das Geld verfällt schnell, es ist Inflation -, pro Kopf für minder belastete Nahrung zur Verfügung gestellt; andererseits werden aber immer wieder radioaktiv verseuchte Flächen für bewohnbar erklärt. Die Erhaltung des Sarkophages um den strahlenden Reaktorblock verschlingt jährlich hunderte von Millionen Rubel.

Im Umkreis von 500 Kilometer von Tschernobyl können wegen der Strahlung Kinder bei Regen nicht mehr auf die Straße gehen. Sie sollen nur auf asphaltierten Flächen spielen, sich nach Möglichkeit nur in geschlossenen Räumen aufhalten und mit all den Verboten leben, die sie nicht verstehen können. Bis um das dreifache haben Leukämie-Erkrankungen zugenommen. In einigen Gebieten kommt jedes fünfte Baby missgebildet zu Welt. In der sogenannten *Zone der Gefahr* leben 1991 circa 230.000 Menschen, davon 25.000 Kinder bis zu 16 Jahren. Fast alle sind krank. Zur Erholung werden sie im Jahr zwei Wochen in weniger verstrahlte Gebiete verschickt. Das Immunsystem der Menschen wird durch die Dauerstrahlung geschwächt. Man spricht vom *Tschernobyl-Aids*. Über 90% der in der *Zone der Gefahr* lebenden Menschen weisen psychische Störungen auf.

Missbildungen bei Tieren werden immer häufiger. Fohlen mit acht Beinen, Kälber mit zwei Köpfen, blinde Ferkel und Mutationen bei Schädlingen erschrecken die Einheimischen. Daumendicke, bis zu fünf Zentimeter lange Fichtennadeln sind gefunden worden.

Tschernobyl wird uns alle noch eine sehr lange Zeit beschäftigen!

Im achten Jahr nach Tschernobyl

Am Montag, dem 25. April 1994 schocken die Zeitungen mit dem Aufmacher:

Tschernobyl spitzt sich zu!
Schutzhülle um Unglücksreaktor ist undicht.

Bonn, 25.4. (dpa/AP)
Acht Jahre nach der Reaktorkatastrophe von Tschernobyl (Ukraine) spitzt sich die Lage in dem Kernkraftwerk nach Darstellung der Gesellschaft für Anlagen- und Reaktorsicherheit (GRS) zu. Probleme der Reaktorsicherheit hätten sich zunehmend verschärft, erklärten Experten am Montag in Bonn zum Super-GAU (GAU: größter anzunehmender Unfall). Die Schutzhülle des zerstörten Reaktors, der so genannte Sarkophag, sei undicht.

Dem geneigten Leser wird im gleichen Artikel verkauft, daß sich Fundamentteile der Betonschutzhülle gesenkt hätten und das Metalldach den Belastungen von Stürmen und größeren Schneemassen nicht mehr gewachsen wäre. Auch würde das Grundwasser immer stärker dadurch gefährdet, weil immer größere Mengen radioaktiv verseuchten Wassers in den Sarkophag eindrängen. Noch immer könne es, durch den weiteren Betrieb der restlichen Tschernobyl-Mailer, zu schweren Störfällen kommen.

Aus verschiedenen Quellen trugen die Artikelverfasser außerdem weiteres Material anlässlich des Jahrestages zusammen. So erfährt man, daß die Häufigkeit von Schilddrüsenkrebs in Weißrussland bei Kindern um das Zwanzigfache zugenommen habe; bei Erwachsenen sich dieser Krebs verdreifacht habe. Inzwischen wären in das *Nationale Register Tschernobylgeschädigter* wegen gesundheitlicher GAU-Probleme 405.000 Personen aufgenommen worden. Schwangere Frauen seien besonders anfällig. Von den im Jahr 1986 eingesetzten Liquidatoren, die in der direkten Rettungsaktion und bei den nachfolgenden Aufräumungsarbeiten eingesetzt waren, man liest die Zahl von 190.000 Menschen, sind bisher 3.836 verstorben. Etwa 60% dieser Todesfälle wären auf das Atomdesaster zurückzuführen.

Nach Aussagen des ukrainischen Wirtschaftsminister werden die alten Reaktorblöcke weiter betrieben. Auf der Messe in Hannover sagte er:
„Tschernobyl geht erst vom Netz, wenn die Brennstäbe unbrauchbar sind!“
Der französische Umweltminister forderte indessen die sofortige Stilllegung und die Errichtung eines zweiten Sarkophages über dem Havarieblock.

Zum Schluss bilanziert der Acht-Jahrestag-Artikel mehrere

verschiedene Hilfsleistungen aus Deutschland. Der Wert gespendeter Medikamente und medizinischer Geräte wird in DM aufgelistet. Die Stiftung *Kinder von Tschernobyl* ist mit einer Delegation und ihrer Vorsitzenden Hiltrud Schröder, der Frau des Niedersächsischen Ministerpräsidenten, nach Weißrussland gereist. Man will sich in Minsk und Brest einen Eindruck von der Versorgung krebskranker Kinder verschaffen.

Acht Jahre nach dem GAU, acht Jahre nach dem Unglück und eigentlich müssten schon längst alle Atomkraftwerke weltweit abgeschaltet worden sein!

Im Jahr 10 nach dem Tschernobyl-GAU

Heute ist der 1. Mai im Jahr des Herrn 1996. Gezählt nach der Geburt von Jesus in Bethlehem. Dieses Datum entspricht dem Gregorianischen Kalender. Das Christkind wurde geboren um Frieden zu bringen, so haben wir es als Kinder erzählt bekommen und geglaubt. Den Kindern von Tschernobyl geht es dreckig. Je jünger sie sind, desto rascher wachsen sie, desto häufiger teilen sich ihre Zellen. Geschädigte Lebensbausteine sind nicht mehr zu heilen. Durch ihre Teilung geben sie die Schädigungen weiter. Babys und Kleinkinder erwischt es besonders häufig. Nördlich des Reaktorunglücksgebietes, in der Region von Gomel, ist die Schilddrüsen-Erkrankung von Kleinkindern um das Hundertfache im Verhältnis zur Vor-Tschernobyl-Zeitrechnung gestiegen. Die Weltgesundheitsorganisation (WHO) ermittelte 565 Kinder im Alter bis zu 14 Jahren mit Schilddrüsenkrebs. 1995 im Gebiet von Ukraine, Weißrussland und Russland. Allein in Weißrussland sollen bis zu 800.000 Jungen und Mädchen durch den radioaktiven Fallout Schaden genommen haben. Kinder und Jugendliche sprechen von der Zukunft: *Wenn ich dann noch lebe.*

Jede Aufstellung statistischen Zahlenmaterials im Vergleich von vor oder nach der Zeit der nuklearen Katastrophe von Tschernobyl ist anzuzweifeln. Gewisse Werte fehlen aus der Vergangenheit, politische Unwahrheiten und Verharmlosungen, auch die allgemeine, atomare Umweltverseuchung der ehemaligen Sowjetunion, verhindern eine genaue Zuordnung des Siechtums. Infolge des radioaktiven Desasters sollen schon mehr als 125.000 Menschen verstorben sein. Davon allein 84% seit 1992!

Und es wird weiter gestorben. Das Immunsystem der Strahlengeschädigten ist nicht mehr in der Lage, Infektionen abzuwehren. Die Mediziner sprechen inzwischen von dem Tschernobyl-Syndrom. Außerdem taucht in den Krankengeschichten der Ausdruck *interner Wasserkopf* auf. Durch die dauernde radioaktive Belastung werden Gehirn und Rückenmark geschädigt. Verschiedene organische Störungen der Großhirnfunktionen nehmen bei den Opfern zu. Mit der Diagnose Radiophobie, allerdings für den medizinischen Laien unverständlich, versucht man die Kranken abzuspeisen. Die Vertuschungen, Verharmlosungen, Unwahrheiten und die Unterdrückung durch staatliche Stellen von statistischen Ergebnissen verwirren und verschleiern das wahre Bild der Katastrophe immer mehr.

Potemkinsche Dörfer wurden schon immer
in Russland errichtet!

Und es strahlt weiter, immer weiter, in den nächsten zehn, hundert und tausend Jahren. Noch in zehntausend Jahren wird diese Strahlung wirksam sein. Alles strahlt. Die Wurst und das Fleisch, das Brot und die Milch, Karotten und Kohl, auch das Wasser der Brunnen und die Pilze des Waldes. Pro Kilogramm schaffen die Schwammerl 70. 000 Becquerel.

Und in Regensburg verkauft man Steinpilze und Pfifferlinge aus Polen!

Man sieht ihn nicht,
man hört ihn nicht,
man riecht ihn nicht
man fühlt ihn nicht,
und schmecken kann man ihn auch nicht.

IHN, den Gevatter Tod des atomaren Zeitalters!

quo vadis homine ... ?

Fukushima

Als am 11. März 2011 um 14,46:23 Ortszeit die Naturkatastrophe von Fukushima erfolgte, hatten die Arbeiter und Ingeneure keine Möglichkeit zu Überleben. Eine Wasserwand von 13 bis 15 Meter Höhe überrollte die sechs Atomkraftanlagen Fukushima-Daiichi in Ukuma. Die umgekommenen Atom-Kraftwerker wurden mit den gesamten Opfern des Erdbebens und der Tsunamiwellen mit über 11.000 angegeben. Bis zu 150.000 Einwohner mussten das Gebiet verlassen. Sie wurden evakuiert und leben teilweise noch im Jahr 2016 in notdürftigen Unterkünften. Die Flut riss hunderttausende Nutztiere in den Tod.

Die freigesetzte Gesamtradioaktivität der Stoffe ordnete die japanische Atomaufsichtsbehörde wenige Tage nach dem Unglück in die Höchststufe 7 - katastrophaler Unfall - ein. In den folgenden Tagen erfolgten Kernschmelzungen einzelner Böcke. Monatelang wurden die außer Kontrolle geratenen Anlagen mit Wasser gekühlt, das hoch belastet in das Meer abfloss, beziehungsweise eingeleitet wurde.

Der Meiler Fukushima 1 war nicht an das Tsunami-Warnsystem angeschlossen. Die Schutzmauer zum Meer hatte eine lächerliche Höhe von 5 Meter 70, vorgeschrieben waren sogar nur 3,12 Meter. Die Reaktorblöcke 1 bis 4 wurden bis zu fünf Meter überschwemmt. Die Anlagen 5 und 6 nur bis zu einen Meter, da sie im höheren Gelände lagen.

Im Internet lesen wir:

"400 Tepco-Mitarbeiter wurden für den Notfalleinsatz mobilisiert - laut IAEO fiel zu wenige für eine Katastrophe dieses Ausmaßes. Fremdfirmen wie die Kraftwerkhersteller Toshiba und Hitachi zogen ihre Mitarbeiter ab. Gleichzeitige Unfälle in mehreren Blöcken waren nicht vorgesehen. Die meisten Kommunikationseinrichtungen waren ausgefallen. Es bestand die ständige Gefahr von Nachbeben und weiteren Tsunamis."

Auf der offiziellen Trauerfeier am 11. März 2016, dem 5. Jahrestag des Tohoko-Bebens vor der Ostküste der japanischen Hauptinsel Honshu verbeugten sich Kaiser Akihito und seine Gemahlin Michiko in großer Trauergesellschaft vor 18.000 Toten (?) der Fukushima-Katastrophe.

Es ist müßig, den weiteren Verlauf dieses naturbedingten Unheils zu schildern, denn zwischenzeitlich sind Untersuchungen und Veröffentlichungen in großer Zahl erfolgt. Allerdings verwundert den normalen Europäer die große Anzahl der atomaren Meiler in diesem von Erderschütterungen bedrohten Inselreich. Zumal die riesengroßen Opferzahlen von Hiroshima und Nagasaki allgemein bekannt sind und immer wieder auf jährlichen Gedenkfeiern in Erinnerung gerufen werden. Diese nationalen Katastrophen scheinen von der japanischen Bevölkerung verdrängt worden zu sein. Bei meinen Aufenthalt 1981 erzählte mir unser Dolmetscher. dass er oft mit seinen Kindern in einer Meeresbucht baden würde, an dessen Küste ein großer Atommeiler arbeite. Diese fernöstliche Mentalität habe ich nicht verstanden. Allerdings regt sich in letzter Zeit nun doch Widerstand und er führte sogar zu größeren Demonstrationen im Zusammenhang mit dem Anfahren der abgeschalteten Anlagen auf Honshu.

Bekannt sind die technischen Leistungen des japanischen Volkes. Hochhäuser, die mit starken Stahltrossen gegen Erdbeben abgesichert sind, die schnellsten Hochgeschwindigkeitszüge der Welt - Shinkanzen bis über 400 km/h -, Krankenhäuser, in denen nur Roboter ihre Dienste anbieten. Nachdem fünf Jahre der Tsunami-Katastrophe vergangen sind, stehen drei verantwortliche Herren vor Gericht. Manager der Unternehmensgruppe Tepco, Sakae Muto, Katsumata und Ichiro Taketuro. Ihnen wird der Vorwurf gemacht, die Notstromaggregate aus Kostengründen nicht auf höherem Gelände installiert zu haben (Süddeutsche 27.02.2016). Es ist mehr als fraglich, ob diese Maßnahme den Super-Gau verhindert hätte.

Auch nach allen Stabilisierungsmaßnahmen ist Fukushima-Daiichi ein gefährlich strahlendes Gelände. Am Messpunkt südlich des Hauptgebäudes liegt die Radioaktivität derzeit bei 280 Mikrosievert pro Stunde und damit immer noch rund 3000 mal höher als an einem durchschnittlichen Messpunkt in Deutschland. Japan ist verstrahlt, das Wasser der Flüsse, des Ozeans, die Luft über Honshu. Eine riesige strahlende Trümmermasse dümpelt in Richtung

Nordamerika, Kanada, Alaska und erste Teile sind schon angekommen. An eine Ende der Bedrohung durch Fukushima ist auf lange, sehr lange Zeit nicht zu denken, denn kein Mensch kann in die Atomruinen vordringen oder diese sogar abbauen.

Vielen Dank der Firma Tepco, vielen Dank den Verantwortlichen, denen, die nur an den schnellen Gewinn dachten! Der Menschheit fehlt es offensichtlich an Intelligenz! Vielleicht ist sie zu überheblich, zu arrogant, um Warnzeichen zur Kenntnis zu nehmen.

Die grundlegende deutsche Entscheidung für den Ausstieg aus der Atomenergie erfolgte nach der Kernschmelze in Japan. Hier hatte das Parlament mit Frau Merkel an der Spitze die Unbeherrschung der Atomenergie erkannt und war dem Trend im politischen Vorgehen der Übernahe von Oppositionsthemen gefolgt. Zusätzliche technische Fortschritte hatten diese Entscheidung erleichtert. Der großen Geldmachmaschine ATOMENERGIE geht die Puste aus und schon zieht Stöhnen der Konzerne durch das Land. Letztlich soll der arme Bürger die Zeche zahlen!

Allerdings birgt der relativ lange Zeitraum bis zum Abschalten des letzten Mailers weitere Risiken. Ebenso wie die rings um Deutschland arbeitenden maroden Atommeiler und deren zweifelhaften Schutzeinrichtungen.

30 Jahre nach dem GAU in der Ukraine

30 Jahre nach der Kernenergie-Katastrophe in der Ukraine, wird ein neue Hülle für den verunglückten Reaktor in Tschernobyl gebaut. Groß, sehr groß wird sie werden und sie ist teuer, eineinhalb Milliarden Euro für vielleicht hundert Jahre. Dann wieder für die nächsten hundert Jahre eine neuer Schutz, übergestülpt über den Erste und immer so weiter? In eintausend Jahren also zehn Stück aus Stahl, fahrbar auf Schienen, 36 000 Tonnen schwer! Das in Bau befindliche Ungetüm ist fast fertig. Nur 200 Meter neben dem Havarierten wächst es hoch. 2017 sollen zwei riesige Kräne den Koloss auf Teflonschienen über das atomare Feuer schieben. Diese Konstruktion soll mit einer elastischen Membran luftdicht dann den alten Sarkophag abschließen. Ein computergesteuertes Belüftungssystem soll die Korrosion der stählernen Hülle verhindern, indem die Luftfeuchtigkeit im Inneren zwischen beiden Schutzanlagen immer unter 40% gehalten wird. Ob das hundert Jahre gelingt?
Dieser stählerne Bau ist das größte mobile Werk der Welt. Es soll dem stärksten, hier mögliche Erdbeben oder auftretenden Tornados widerstehen. Es wird den explodierten Reaktor vor Regen und Schnee schützen und dafür sorgen, dass weder Staub noch Radioaktivität in die Umwelt gelangen. Der hinfällige alte Sarkophag kann in den nächsten Jahren zusammenbrechen oder porös werdend, dann die zerfallende Materie nicht mehr zurückhalten. Das alles ist

teuer, ist gewagt, ist voller Unsicherheiten und wird uns folgenden Generationen immer wieder erhebliche Probleme bereiten.

Schon geht Angst um, dass Terroristen Atomanlagen in ihre Gewalt bringen oder in den Besitz von radioaktivem Material gelangen. Was passiert, wenn Kriege die atomaren Gebiete erreichen? Gott verhüte die atomare Auseinandersetzung der Großmächte, die durch dumme Politiker oder durch Leichtsinn ausbrechen kann!

Landauf, landab lagern provisorisch - vorübergehend (?!) - strahlende Abfälle unter freiem Himmel. In Japan sind sie mit blauer Folie abgedeckt. Wohin damit? Zum Mond, Mars oder Jupiter ist es zu teuer, zu gefährlich im Meer und in Bergwerken ist es auch nicht sicher. Was für eine außerordentliche Dummheit der Menschheit, diese, die Endzeit auslösende Technik, anzuwenden!

von Amerongen, Otto Wolff
* 6. August 1918 † 8. März 2007
Deutscher einflussreichster Unternehmer nach 1945

Atombombenabwürfe *auf die japanischen Städte Hiroshima und Nagasaki am 6.und 9. August 1945. Die Explosionen töteten etwa 92.000 Menschen sofort. Bis zum Jahresende starben weitere 130.000 Japaner und viele an den Folgeschäden in den nachfolgenden Jahren.*

Becquerel, *Bezeichnung für die Anzahl der Atome, die nach der Statistik des radiaktiven Zerfalls pro Sekunde zu erwarten ist. Benennung nach dem französischen Physiker Henri Becquerel, der mit Marie Curie1903 den Nobelpreis für die Entdeckung der Radioaktivität erhalten hat.*

Biedenkopf, Kurt * 28. Januar 1930, CDU-Politiker, Ministerpräsident des Freistaates Sachsen 1990 bis 2002.

Brandt, Willy * 18. Dezember 1913 † 8. Oktober 1992, deutscher SPD-Politiker, 1957-1966 Regierender Bürgermeister von Berlin, 1966 bis 1969 Bundesaußenminister und Vizekanzler, danach von 1969 bis 1974 Bundeskanzler der BRD. Verleihung des Friedensnobelpreises am 10. Dezember 1971.

Fischer, Joschka * 12. April 1948, Deutscher Politiker, “Grüner“, 1985 Staatsminister in Hessen, von 1998 bis 2005 Außenminister und Vizekanzler der BRD.

Gandhi, Indira, Priyadarshini
* 19. November 1917 † 31. Oktober 1984
Premierministerin Indien 1966 bis 1977
und 1980 bis 1984

Geigerzähler *ist ein technisches Gerät, das eine ionisierende Strahlung messen kann. Es wurde vom Physiker Hans Geiger erfunden.*

Genscher, Hans-Dietrich * 21.März 1927
FDP-Politiker, 1969 bis 1974 Bundesinnenminister,
1974 bis 1992 Bundesaußenminister,
Vorsitzender der FDP von 1974 bis1985

Gorbatschow, Michael Sergejewitsch * 2.März 1931, russischer Politiker, ab März 1985 bis August 1991 Generalsekretär des Zentralkomitees der Kommunistischen Partei der Sowjetunion und von März 1990 bis Dezember 1991 Präsident der Sowjetunion. Seine Politik von Glasnost (Offenheit) und Perestroika (Umbau) leitete das Ende des „Kalten Krieges" ein. Er erhielt 1990 den Friedensnobelpreis. Im Tagebuch Respektlos „Gorby" genannt.

Gorbatschowa, Raissa Maximowna, geb. Titarenko
* 5. Januar 1932 † 20.September 1999, russische Soziologin. Ehefrau von Michail Gorbatschow, einflussreich, sozial und kulturell engagiert in der Sowjetunion und Russland.

Jaruzelski, Wojciech Witold * 6. Juli 1923
Polnischer Politiker, General, Parteichef
Ministerpräsident von Polen 1985 bis 1990
Staatsratsvorsitzender von 1989/1990

Jelzin, Boris Nikolajewitsch
1. Februar 1931 † 23. April 2007
1991 bis 1999 der erste Präsident von Russland

Jerzy, Urban * 3. August 1933, Pole
Schriftsteller, Journalist, Regierungssprecher vom kommunistischen, polnischen General Jaruzelski

Jungk, Robert * 11.Mai 1911 † 14.Juli 1994
Publizist, Schriftsteller und Zukunftsforscher
Alternativer Nobelpreis 1986

Kohl, Helmut Josef Michael * 3. April 1930, deutscher CDU-Politiker. Von 1969 bis 1976 Ministerpräsident von Rheinland-Pfalz. Sechster Bundeskanzler der BRD von 1982 bis 1998.

Kohl, Johanna * 7. März 1933 † 5. Juli 2001
Erste Ehefrau des Bundeskanzlers Helmut Kohl

RAD, *veraltert, Einheit der absorbierten Strahlendosis, eigentlich der Energiedosis.*

Radioaktivität, *radioaktiver Zerfall oder Kernzerfall ist die Eigenschaft von instabilen Atomkernen unter Energieabgabe umzuwandeln. Die freiwerdende Energie wird in ionisierender Strahlung und/oder Gammastrahlung abgegeben.*

Reagan, Ronald Wilson * 6. Februar 1911 † 5. Juni 2004, US-amerikanischer Schauspieler, republikanischer Politiker, von 1967 bis 1975 Gouverneur von Kalifornien und von 1981 bis 1989 der 40. Präsident der Vereinigten Staaten. Im

Tagebuch respektlos *Ronny* genannt.

Reagan, Nancy * 6. Juni 1921, gebürtige Anne Frances Robbins, Schauspielerin, heiratete Ronald Reagan 1952.

Rau, Johannes, * 16.Januar 1931 † 27. Jan. 2006 Deutscher SPD-Politiker, von 1999 bis 2004 achter Bundespräsident der BRD. Nach vielen anderen politischen Ämtern war er von 1978 bis 1998 Ministerpräsident von Nordrhein-Westfalen.

Riesenhuber, Heinz * 1. Dez. 1935, CDU-Politiker 1982 bis1993 Bundesminister für Forschung und Technologie

Schmidt, Hannelore „Loki" * 3. März 1919 Ehefrau des Altkanzlers der BRD Helmut Schmidt

Schröder, Hiltrud „Hillu" geb. Schwetje *11. Dezember 1948 Von 1984 bis 1997 in zweiter Ehe mit Gerhard Schröder, dem Ministerpräsidenten von Niedersachsen und dem späteren Bundeskanzler verheiratet.

Strauß, Franz Josef * 6. Sept. 1915 † 3. Okt. 1988, deutscher CSU-Politiker, Bundesminister für besondere Aufgaben, für Atomfragen, für Vereidigung und für Finanzen nacheinander in den Jahren 1953 bis 1969, ausgenommen davon die Zeit von 1983 bis 1965. Er war bayrischer Ministerpräsident von 1978 bis zu seinem Tod 1988. Er wurde 1961Vorsitzender der CSU und blieb es bis zu seinem Tod.

Süßmuth, Rita * 17. Februar 1937
CDU-Politikerin, 1985-1988 Bundesministerin,
1988-1998 Präsidentin des Deutschen Bundestages

Teller, Edward * 15. Januar 1908 † 9. Sept. 2003
Physiker, Vater der Wasserstoffbombe

Thatcher, Margaret Hilda, Baroness Thatcher of Kesteven * 13.Oktober 1925
1979 bis 1990 Premierministerin des Vereinigten Königreiches Großbritannien

Tschernobyl-Katastrophe, *Entdeckung durch Messinstrumente des schwedischen AKW Forsmark am 27. April1986*

Welichow, Jewgeni
Direktor des russischen Atomzentrums
Kurtschatow-Institut

Winter, Rolf, Journalist, 1984-1986 Chef-Redakteur des „Stern", wurde wegen *Tschernobyl* von seiner Position abgelöst.

Zimmermann, Friedrich, „Fritz", * 18. Juli 1925, deutscher Politiker der CSU. Unter Helmut Kohl von 1982 bis1989 Bundesinnenminister und von 1989 bis 1991 Bundesminister für Verkehr.

Literaturhinweise zu Tschernobyl

Dürr, Hans-Peter:
Das Netz des Physikers
Naturwissenschaftliche Erkenntnis in der Verantwortung
Fischer, Siegfried/Nassauer, Otfried (Hg.):
Satansfaust. Das nukleare Erbe der Sowjetunion
Franke, Frank/Schreiber, Norbert/Vinzens, Peter:
Verstrahlt, vergiftet, vergessen
Die Opfer von Tschernobyl nach zehn Jahren.
Heinemann-Grüger, Andreas:
Die sowjetische Atombombe. Münster 1992
Jaroshinskaja, Alla:
Verschluss-Sache Tschernobyl
Die geheimen Dokumente aus dem Kreml. Berlin 1994.
Karisch, Karl-Heinz/Wille, Joachim (Hg.):
Der Tschernobyl Schock, Zehn Jahre nach dem Super-Gau
Medwedew, Grigori:
Verbrannte Seelen - Die Katastrophe von Tschernobyl
Schuchard, Erika/Kopelew, Lew:
Die Stimmen der Kinder von Tschernobyl
Geschichte einer stillen Revolution.
Trutanow, Igor:
Die Hölle von Semipalatins.
Watschnadse, Georgi:
Russland ohne Zensur: Eine Bilanz

Vita Joachim Berke

Geboren am 18.11.1930 in Bad Landeck/Niederschlesien.
Aufgewachsen von 1932 bis 1941 in Glatz/Schlesien, danach wieder in Bad Landeck wohnhaft. Besuchte das altsprachliche Gymnasium in Glatz. Ostern 1946 nach Loppersum in Ostfriesland vertrieben.
Drogistenlehre ab 1949 in Lingen (Ems). Danach innerhalb eines mittelständischen Unternehmens Aufbau eines bekannten Fotogroßlabors. Fast 45 Jahre Tätigkeit als Prokurist in den Fachbereichen Fertigung, Organisation, Logistik und Umwelt.
Seit 1993 im Ruhestand.
Berke ist verheiratet mit Frau Gisela, geborene van Kampen.
Zwei Kinder, Sohn Stephanus und Tochter Claudia, wurden 1957 und 1960 geboren.

Der Autor fotografierte in zahlreichen Ländern auf mehreren Kontinenten und veröffentlichte Erzählungen, Fachliteratur, Bildbände und Bildberichte.
Werke: *Fotografieren vom Pol bis zum Äquator* (Co-Autor)
Das Emsland im Bild, Ein Bildband, Münster 1983
Im Zauber des Skorpion, Reiseerzählungen, Norderstedt 2002
Die Krokodillederstiefel, 27 Geschichten, Norderstedt 2005
Heimreise in die schlesische Grafschaft Glatz, Norderstedt 2007
Im Biener Busch, Erzählungen, Norderstedt 2008
Lingen im Bild, Ein Bildband, Werlte 2009

Herausgeber: Von fotografischen Bilderserien,
2. Auflage, Nachdruck der Jahrbücher der Grafschaft Glatz
Guda Obend und *Grofschofftersch Feierobend.*
Erinnerungen an Glatz, Nacherzählung, Norderstedt 2008
Erinnerungen an Bad Landeck, Nachdruck, Werlte 2009
Geschichten aus dem alten Schlesien, Erzählungen,
Norderstedt 2009
Fotos: Katalog *Das Schlossmuseum zu Jever*, Oldenburg 1997
Katalog *Walter Zacharias* - Malerei, Collagen, Objekte –
Regensburg 1999
Abbildungen in zahlreichen Büchern, Prospekten,
anderen Publikationen und im Internet
unter *www.foto-gisela.de* und *www.berke-online.de*
Zusammenarbeit mit einer Medienagentur.
Texte: Fachzeitschriften, Kurzgeschichten im Internet
und bei Dienstleistungsverlagen.

Lightning Source UK Ltd.
Milton Keynes UK
UKHW010915200919
350146UK00002B/434/P